Juste la fin du monde

ÉTONNANTS • CLASSIQUES

LAGARCE

Juste la fin du monde

Présentation et chronologie par
Sophie MARCHAND,
maître de conférences en littérature française

Notes, dossier et cahier photos par
Astrid CHAUVINEAU,
agrégée de lettres modernes

Flammarion

Le théâtre contemporain
dans la collection « Étonnants Classiques »

Jean ANOUILH, *La Grotte*
Médée
Jean-Claude CARRIÈRE, *La Controverse de Valladolid*
Charlotte DELBO, *Ceux qui avaient choisi*
Jean GIRAUDOUX, *Électre*
La guerre de Troie n'aura pas lieu
Henning MANKELL, *Des jours et des nuits à Chartres*
Luigi PIRANDELLO, *Six Personnages en quête d'auteur*
Robert THOMAS, *Huit Femmes*

ISBN : 978-2-0815-1844-5
ISSN : 1269-8822
N° d'édition : L.01EHRN000665.A009
Dépôt légal : août 2020

SOMMAIRE

Juste la fin du monde

PRÉSENTATION

De l'intime à l'universel

Vie de Jean-Luc Lagarce

Jean-Luc Lagarce est né en 1957, dans une famille ouvrière de Franche-Comté. Parallèlement aux études de philosophie qu'il mène à l'université de Besançon, il pratique le théâtre et crée, en 1977, une compagnie, le Théâtre de la Roulotte, à laquelle collaborent des artistes qui l'accompagneront tout au long de sa carrière. Il y est à la fois comédien, metteur en scène et auteur. Ses textes sont assez vite reconnus par Lucien Attoun, producteur à France Culture et créateur avec son épouse Micheline Attoun de Théâtre Ouvert, lieu de soutien à l'écriture dramatique contemporaine. En 1980, sa pièce *Voyage de Madame Knipper vers la Prusse orientale*, qui met en scène des comédiens, est acceptée par la Comédie-Française pour être jouée au Petit Odéon. Devenue professionnelle, la troupe s'installe officiellement à Besançon, où Lagarce obtient ses premiers succès d'auteur et de metteur en scène. En 1984, il déménage à Paris où il apprend, en 1988, qu'il est séropositif. Lauréat en 1990 d'une bourse de la Villa Médicis Hors les murs, institution publique qui soutient la création artistique, il écrit *Juste la fin du monde* lors d'un séjour à Berlin. Alors que les œuvres de Lagarce sont généralement bien accueillies, cette pièce est refusée par les comités de lecture auxquels il la soumet. Lagarce se consacre alors à la mise en scène et obtient de grands succès, notamment avec *La Cantatrice chauve* (1991) d'Eugène Ionesco et *Le Malade imaginaire* (1993) de Molière. La maladie gagne du terrain sans ralentir sa frénésie d'activités théâtrales. Durant les cinq dernières années de sa vie, il crée neuf mises en scène, écrit cinq textes théâtraux et trois récits, et s'investit plus que jamais dans la rédaction de son journal. Il inscrit sa séropositivité dans son *Journal vidéo* [1], donne son accord pour que la presse révèle qu'il est atteint du Sida et évoque publiquement sa maladie. En 1994-1995, il met la touche finale à ses deux dernières pièces : *J'étais dans ma maison et j'attendais que la pluie vienne* et *Le Pays lointain*, qui prolonge par ses thèmes *Juste la fin du monde*. Il meurt en 1995.

Le succès de Lagarce, relatif de son vivant, va surtout se révéler après sa mort. Ses pièces sont représentées dans le monde entier et la maison d'édition qu'il a fondée avec François Berreur, Les Solitaires intempestifs, est devenue un pilier de la vie théâtrale contemporaine. *Juste la fin du monde*, jamais joué du vivant de l'auteur, est créé par Joël Jouanneau en 1999, et publiée aux Solitaires intempestifs. L'accueil est alors enthousiaste. Traductions et mises en scène s'enchaînent. En 2007, François Berreur, ami et collaborateur de longue date de Lagarce, propose sa version de la pièce, nominée aux Molières en 2008. L'année suivante, *Juste la fin du monde* entre au répertoire de la Comédie-Française dans la mise en scène de Michel Raskine, primée par un Molière du théâtre public. L'adaptation cinématographique de Xavier Dolan, qui remporte le Grand prix au festival de

1. En 1990, Lagarce réalise un *Journal vidéo*, dans lequel il se filme pour évoquer les premiers temps de sa maladie. Il tient par ailleurs un journal écrit.

Cannes en 2016, témoigne encore de la consécration posthume de la pièce [1].

Juste la fin du monde dans l'œuvre de Lagarce

À sa mort, Lagarce laisse derrière lui une vingtaine de textes de sa plume et presque autant de mises en scène. Il renonce assez vite à monter ses propres œuvres, faute de succès dans ses tentatives. Son œuvre de metteur en scène se concentre sur les classiques, dont il propose des relectures souvent inventives. Ses goûts sont éclectiques : surtout des auteurs comiques comme Molière (1622-1673), Marivaux (1688-1763), Eugène Labiche (1815-1888), Georges Feydeau (1862-1921), Eugène Ionesco (1909-1994), mais aussi des dramaturges étrangers, tels John Ford (1586-v. 1639) et Frank Wedekind (1864-1918), et de nombreuses adaptations de textes non théâtraux, dont *Les Égarements du cœur et de l'esprit* de Crébillon fils (1707-1777). Le travail de metteur en scène se confond parfois avec celui d'écrivain et Lagarce fait des pièces de certaines de ses lectures : *Vagues souvenirs de l'année de la peste* (1982) adapte le *Journal de l'année de la peste* de Daniel Defoe (v. 1660-1731), *Les Règles du savoir-vivre dans la société moderne* (1993) s'inspire d'un guide des bonnes manières publié sous le pseudonyme « Baronne Staffe » au XIXe siècle. Aujourd'hui encore, certaines de ses mises en scène font figure de références, en particulier celle de *La Cantatrice chauve* de Ionesco, dont l'esthétique inspirée par l'univers des sitcoms [2] américaines est assombrie par une

---

1. Sur ces différentes mises en scène et cette adaptation, voir ci-dessous, p. 33-35, Dossier, p. 157-174, et Cahier photos, p. II-IV.
2. Une ***sitcom*** (abréviation de l'anglais *situation comedy*, « comédie de situation ») est une série télévisée humoristique, caractérisée par la récurrence des mêmes lieux pour simplifier son tournage, comme *How I Met Your Mother* ou *The Big Bang Theory*.

inquiétante étrangeté et par l'émergence de pulsions primaires, et qui présente l'originalité de jouer toutes les versions existantes du dénouement de la pièce.

L'œuvre de Lagarce, dans sa globalité, est difficilement classable. Plusieurs grands ensembles peuvent toutefois être dégagés. D'abord, les pièces qui multiplient les références ou les clins d'œil au monde du théâtre, et présentent souvent une dimension métathéâtrale de théâtre dans le théâtre ou de théâtre sur le théâtre : *Hollywood* (1983) fait défiler, au cours d'une soirée mondaine, des personnages extraits de films ou d'œuvres littéraires appréciées par Lagarce et dresse les contours de son imaginaire mythique ; *Music-hall* (1988) et *Nous, les héros* (1993) nous ouvrent les coulisses d'un cabaret et d'une troupe ambulante. *Les Prétendants* (1989) allie cette veine à la part satirique de la production de Lagarce : la dénonciation du milieu des institutions culturelles y est aussi caustique que, dans *Derniers remords avant l'oubli* (1987), le constat effectué est amer sur la génération de 1968 et les illusions de la jeunesse, à travers les retrouvailles entre trois anciens amis proches. L'œuvre sait aussi bien faire la part belle à la fantaisie, voire à l'absurde (dans *Noce* en 1982), rappelant parfois le Jean Genet (1906-1986) des *Bonnes* (dans *Les Serviteurs* en 1981), qu'au sérieux et à l'intime. Tout un pan de l'écriture lagarcienne travaille le thème du retour ; son ton, plus sombre, invite à une exploration plus complexe des émotions. Dans *Retour à la citadelle* (1984), où un gouverneur revient dans sa cité et retrouve les siens, *Juste la fin du monde*, *J'étais dans ma maison et j'attendais que la pluie vienne* (1994) et enfin dans *Le Pays lointain* (1995), somme de toutes les œuvres précédentes, qui tente de restituer une vie à l'intersection de la famille biologique et de la famille choisie, s'élabore une sorte de dramaturgie testamentaire : celui qui rentre chez lui tire un bilan de son existence.

Cette diversité explique la difficulté à classer Lagarce au sein du paysage dramatique de la seconde moitié du XXe siècle, à le rattacher à une école, à un mouvement. Si la forme de ses premières œuvres rappelle le théâtre de l'absurde porté par Samuel Beckett (1906-1989) et Eugène Ionesco, si des autrices affiliées au Nouveau Roman comme Marguerite Duras (1914-1996) ou Nathalie Sarraute (1900-1999) demeurent des références dans leur usage de la langue et leur représentation du monde, Lagarce puise également à des sources plus anciennes. Aussi a-t-on pu dire de lui qu'il était un « classique du XXe siècle [1] ». Ses œuvres correspondent à différents modèles formels, explorent plusieurs registres. Contrairement à une certaine tendance du théâtre contemporain, Lagarce ne renonce pas aux personnages, ni à l'intrigue, même s'il estompe parfois le réalisme au profit d'une sorte d'épure, proposant un cadre plus abstrait et universel. La spécificité de son œuvre tient à un certain rapport à la langue, qui n'est pas pur exercice de style, mais recherche d'une parole juste mise au service de la vérité et de l'émotion. C'est cette voix reconnaissable entre toutes qu'a consacrée la postérité. Si Lagarce a parfois été affilié à la « génération » des auteurs fauchés par le Sida, célébrée notamment par le réalisateur et dramaturge Christophe Honoré (né en 1970) dans sa pièce de 2018 *Les Idoles*, ces rapprochements relèvent de la biographie plus que de l'esthétique de l'auteur.

Dans cette œuvre marquée par un imaginaire littéraire, l'obsession du thème des acteurs et un certain goût pour le

---

1. Voir par exemple *Lire un classique du XXe siècle : Jean-Luc Lagarce*, ouvrage collectif pédagogique, Les Solitaires intempestifs/Scérén, 2007.

comique, *Juste la fin du monde* semble à première vue marquer une rupture et inaugurer un nouveau rapport à l'écriture dramatique. Nul ne peut nier que la pièce est le fruit d'une crise personnelle : dès 1988, le Sida devient pour Lagarce comme une épée de Damoclès, une menace constante et une condamnation à moyen terme, dont l'influence se fait sentir non seulement dans le journal qu'il tient régulièrement mais aussi dans ses écrits pour le théâtre et ses récits. Le 1er février 1991, il écrit dans son journal : « Après *Les Adieux*, *Juste la fin du monde* et ce *Journal vidéo*, comme autant de fins. » Difficile aujourd'hui de lire la pièce en occultant sa dimension testamentaire. Pourtant, *Juste la fin du monde* n'est pas la dernière pièce de Lagarce : il publiera encore, outre *J'étais dans ma maison et j'attendais que la pluie vienne* et *Le Pays lointain*, qui reprennent la thématique du retour du fils prodigue [1] et le registre funèbre, *Les Règles du savoir-vivre dans la société moderne* et *Nous, les héros*, dont la thématique et la tonalité se rattachent plutôt aux œuvres d'avant la maladie.

Il serait donc faux de voir dans la crise personnelle l'origine d'un virage esthétique. La veine autobiographique du théâtre de Lagarce préexiste à la découverte de la maladie. *Juste la fin du monde* reprend, peut-être avec une acuité nouvelle, des motifs récurrents des pièces antérieures : la thématique du retour, par exemple, était présente dès son adaptation de l'*Odyssée* d'Homère (VIIIe siècle av. J.-C.) en 1978 (sous le titre *Elles disent... l'Odyssée*) et, de manière plus évidente encore, dans *Retour à la citadelle* (1984). Le thème de la maladie, lui aussi, apparaît avant

---

1. La figure du fils prodigue renvoie à un récit biblique du Nouveau Testament. Tandis que son frère respecte les commandements de leur père et travaille à ses côtés, le fils prodigue quitte le domicile familial et dilapide sa fortune. Lorsqu'il revient enfin à la maison, son père l'accueille pourtant à bras ouverts et célèbre son retour par un festin, ce qui suscite l'indignation de son frère (voir Dossier, p. 207-209, et Cahier photos, p. I).

la découverte du Sida, dans *Vagues souvenirs de l'année de la peste*. Il n'en reste pas moins que *Juste la fin du monde* demeure la pièce la plus jouée de Lagarce, celle aussi qui figure le plus souvent dans les programmes d'examens ou de concours, ce que l'on peut imputer non seulement à sa qualité, désormais unanimement reconnue, mais aussi au fait qu'un certain nombre de critiques et de spectateurs la considèrent comme sa pièce la plus emblématique, la plus intime.

Une pièce autobiographique ?

La dimension autobiographique de la pièce est indéniable. Mais il serait réducteur de ne voir dans *Juste la fin du monde* que la transposition d'une crise personnelle. Certes, Lagarce lui-même reconnaît, dans des entretiens, la « part d'autobiographie » de *Retour à la citadelle*, « qui fut [...] le déclic tant attendu pour *Juste la fin du monde* » [1]. Et le lecteur attentif peut retrouver dans son journal les sources vécues de certains épisodes de la pièce. Ce journal, tenu presque quotidiennement depuis l'âge de 20 ans, a été très tôt destiné par son auteur à une publication posthume. À partir de 1990, il a été soigneusement relu et annoté à cette fin par Lagarce lui-même, ce qui en fait un témoignage précieux et une clef d'accès à son œuvre et à son processus créatif. L'auteur y évoque ainsi, le 14 juillet 1983, une « longue marche la nuit de Anduze à Saint-Jean du Gard » et « un long moment sur la vieille voie ferrée, à travers un long tunnel et ensuite sous les étoiles, dominant la vallée dans la nuit, sur un pont » [2], qui font inévitablement penser à l'épilogue de *Juste la fin du monde*. Et comment ne pas reconnaître dans

1. Jean-Luc Lagarce, *Journal. 1977-1990* (t. I), Les Solitaires intempestifs, 2007, p. 520.
2. *Ibid.*, p. 81.

cette note de 1992 la situation au cœur de la pièce : « Dimanche de Pâques en famille. Effrayant. Les larmes aux yeux. Et eux qui ne veulent jamais rien voir. Et un jour, il faudra leur dire que je suis en train de mourir. Me colleter ce malheur-là [1] » ? Cependant, cet extrait du journal est postérieur de deux ans à la rédaction de *Juste la fin du monde*.

La matière autobiographique existe donc bien, mais elle est modelée par l'usage littéraire qu'en fait Lagarce. Comme son héros, Lagarce est un « transfuge de classe [2] », un écrivain, un homme jeune condamné par la maladie. Comme Louis, il a un frère, une sœur, qui habitent loin de Paris et qu'il voit rarement. Mais, autant que les similitudes, les différences sont flagrantes. Lagarce, dans sa redistribution fictive des données réelles, semble jouer au jeu des sept erreurs. Il choisit de prénommer son héros Louis, et non de lui donner son propre prénom (et François Berreur, lorsqu'il mettra en scène la pièce, augmentera l'écart entre le personnage et l'image de l'auteur en attribuant le rôle de Louis à un acteur physiquement aux antipodes de Lagarce [3]). Dans *Juste la fin du monde* (comme dans *Le Pays lointain*), le père de Louis est mort, alors que celui de Lagarce lui a survécu. Et l'auteur, en mûrissant son œuvre, dont la rédaction s'étend, à travers des versions successives, sur plus de deux ans, s'éloigne peu à peu du projet initial qui, plus proche de la matière vécue, se proposait de représenter « [c]inq personnages, la mère, le père, la sœur, le fils et l'ami du fils. Le fils vient, revient. Il va mourir, il est encore jeune. Il n'a jamais vraiment parlé. Il vient

---

1. Jean-Luc Lagarce, *Journal. 1990-1995* (t. II), Les Solitaires intempestifs, 2008, p. 127.

2. L'expression, utilisée notamment par le sociologue Pierre Bourdieu (1930-2002), désigne des individus qui font l'expérience, au cours de leur vie, d'un changement de milieu social. Louis, qui a quitté un milieu provincial et ouvrier pour devenir écrivain, en est une illustration.

3. Sur ce choix, voir Dossier, p. 160.

écouter. Il est avec un homme. [...] On ne le dit pas, mais on sait que l'on ne se reverra jamais [1] ». Dans *Juste la fin du monde*, Lagarce ne fait qu'implicitement référence à l'homosexualité (qu'il évoquera dans *Le Pays lointain* à travers les personnages de « L'amant, mort déjà », du Garçon et du Guerrier et en nourrissant le texte d'extraits de son journal). Il choisit également de ne pas nommer la maladie et de maintenir un voile d'indétermination sur les raisons de la « mort prochaine et irrémédiable » (prologue, p. 52) de Louis. Lagarce en effet ne souhaitait pas voir son œuvre réduite à une question de société et considérait que le Sida n'était « pas un sujet [2] » pour le théâtre. D'autres écarts par rapport à la réalité biographique peuvent être notés, en particulier le fait que, contrairement à son protagoniste, Lagarce ne rompit jamais vraiment les liens avec sa famille (il évoque ainsi, en 1989, le baptême de son neveu : « petite fête gentille [3] »). Force est donc de constater que *Juste la fin du monde* est aussi le produit d'une élaboration fictionnelle, d'une adaptation, et de reconnaître dans ces distorsions une volonté consciente de l'auteur de se détacher de l'autobiographie. Aussi peut-il écrire, en 1993, alors qu'il relit sa pièce : « Tout cela me paraît mystérieux et lointain (loin de moi) [4]. »

En effet, la création, chez Lagarce, ne se réduit pas à l'extériorisation d'un vécu, à l'exhibition cathartique [5] d'une intimité à des fins d'exorcisme personnel. L'élaboration dramatique (l'organisation de la matière qui constitue la fable, c'est-à-dire de l'histoire formant l'intrigue, l'invention d'une structure, d'une

---

1. Jean-Luc Lagarce, *Journal. 1977-1990* (t. I), *op. cit.*, p. 320.
2. Jean-Luc Lagarce, *Journal. 1990-1995* (t. II), *op. cit.* La phrase précédente éclaire ce parti pris : « on ne fait pas de théâtre avec de bons sentiments ».
3. Jean-Luc Lagarce, *Journal. 1977-1990* (t. I), *op. cit.*, p. 468.
4. Jean-Luc Lagarce, *Journal. 1990-1995* (t. II), *op. cit.*, p. 223.
5. ***Cathartique*** : qui suscite une catharsis, celle-ci désignant, selon le penseur grec Aristote (384-322 av. J.-C.), l'effet purificateur de la tragédie. La représentation théâtrale opère une sorte de purgation des passions.

langue particulière, l'établissement d'une communication avec le lecteur et le spectateur) transcende l'expérience particulière pour atteindre à l'universel, à un intime dans lequel chacun est susceptible de se reconnaître. Dans son recueil de réflexions *Du luxe et de l'impuissance* (1994), Lagarce place en tête d'un article intitulé « Comment j'écris » l'exergue suivant, emprunté au critique Roland Barthes (1915-1980) : « L'écriture est destruction de toute voix, [...] l'auteur entre dans sa propre mort, l'écriture commence. » C'est donc bien d'écriture, de littérature et de pouvoirs du théâtre qu'il est ici question et le passage par le personnel, les liens repérables avec des éléments de la biographie de l'auteur ne sont qu'un moment de la genèse de la pièce, qui traite de situations et de problèmes éthiques plus généraux. La crise qui justifie l'écriture de la pièce ne concerne pas le seul protagoniste, ni même la famille de celui-ci. Elle touche à la difficulté de communiquer avec autrui, d'être compris et reconnu au sein d'une collectivité.

Un drame de la communication : les formes de la crise

Le tragique de l'incommunicabilité

« Plus tard, l'année d'après/ – j'allais mourir à mon tour – » (p. 51) : c'est sur un prologue et sur ces mots prononcés par Louis que s'ouvre une pièce placée tout entière sous le signe de l'urgence et de la nécessité vitale de dire. Dire quoi ? Le spectateur est immédiatement mis dans la confidence : la « mort prochaine et irrémédiable » (prologue, p. 52) d'un jeune homme. Tous les attributs de la fatalité tragique sont là : destin, causalité arbitraire qui reste inexpliquée dans cette pièce, empathie pour le héros, auquel ce prologue nous invite à nous identifier. Cette confidence inaugurale (dont le spectateur et le lecteur sont les seuls destinataires, la famille étant évacuée de la situation d'énonciation par le pronom *eux*) est d'autant plus efficace qu'elle n'est constituée que d'une seule longue phrase, obligeant l'acteur qui la prononce à aller jusqu'au bout de son souffle, suspendant le public à cette épreuve physique, qui anticipe le dernier souffle du personnage. D'entrée de jeu, Louis nous expose la crise qu'il traverse et les enjeux de la pièce : il s'agit de braver la peur pour annoncer aux siens, qu'il n'a pas vus depuis des années et dont il s'est éloigné, qu'il va mourir. La parole comme promesse d'apaisement, comme espoir de réconciliation, de compréhension, de réintégration à un ordre familial consolateur : tel est l'un des horizons posés par le prologue.

Mais le but que s'était fixé Louis ne sera pas rempli. À l'autre extrémité de la pièce, Louis repart sans avoir rien dit : « vers la fin de la journée,/ sans avoir rien dit de ce qui me tenait à cœur/ – c'est juste une idée mais elle n'est pas jouable –/ sans avoir jamais osé faire tout ce mal,/ je repris la route » (II, 1, p. 109). La crise familiale n'a pas eu lieu, du moins pas celle qui était attendue. Louis renferme en lui la confidence, renonce à pousser le « grand et beau cri » (p. 125) libérateur qu'évoque l'épilogue, sous la forme d'un regret. Parce qu'elle n'a pas été extériorisée, la crise personnelle semble, à un premier niveau d'analyse, tragiquement irrésolue. Louis va vers son destin, « replié sur [son] infinie douleur intérieure », dont son frère Antoine concède qu'il « ne saurai[t] pas même imaginer le début du début » (II, 3, p. 124). Ce supposé échec amène à considérer d'abord la pièce comme une tragédie de l'incommunicabilité, dont la structure même illustre la difficulté pour les personnages de s'entendre et de se comprendre vraiment. *Juste la fin du monde* s'articule autour d'une parole attendue, mais qui n'adviendra pas dans l'espace du dialogue.

Dialogues et adresses au public

La pièce présente une construction mûrement réfléchie et originale, qui doit retenir l'attention. Un premier effet de structure réside dans l'encadrement de l'action par un prologue et un épilogue qui, renvoyant à la pratique de la tragédie grecque [1], balisent le sens et la réception de la pièce par le public. À l'intérieur de ce cadre, l'action se divise ensuite en deux parties, séparées par un intermède, qui représentent chacune un moment de la journée. Mais, au-delà de cette progression organisée de l'intrigue, il faut aussi être attentif à l'entrelacement de scènes de natures très différentes. On distingue en effet deux modalités de présence des personnages sur scène et deux types de situation d'énonciation. Le prologue, l'épilogue, mais aussi les scènes 5 et 10 de la première partie, la scène 1 de la deuxième partie dérogent au fonctionnement traditionnel du théâtre dit « dramatique », dans lequel des personnages, sur scène, sont censés parler entre eux, résoudre au présent leurs conflits par la parole, tandis qu'ils ignorent la présence des spectateurs. À rebours de ce fonctionnement traditionnel, les scènes évoquées présentent un Louis seul en scène racontant, sans continuité avec les autres

1. Voir Dossier, p. 130.

scènes, dans une sorte de hors-temps, dont on ne sait exactement où il se situe (avant les faits ? ensuite ? après la mort ?), les pensées qui l'ont habité entre le moment où il a appris sa mort imminente et celui où il a décidé d'entreprendre le voyage pour revoir ses proches, puis après cette visite. Ces scènes font accéder le spectateur à l'intériorité du protagoniste, à des affects qu'à aucun moment dans la pièce il n'extériorisera face aux autres personnages. Elles fonctionnent comme des confidences au public, indispensables pour comprendre le comportement de Louis, un comportement qui, de fait, restera opaque pour les membres de sa famille. Ces scènes, où domine une forme de lyrisme et qui entretiennent la compassion que le spectateur éprouve à l'égard du personnage, sont la caisse de résonance de la crise personnelle de Louis, le seul lieu où, dans l'espace global de la pièce, cette dernière trouve à s'exprimer.

Elles contrastent avec les scènes plus traditionnellement dramatiques : toutes celles où les membres de la famille dialoguent sans prendre en compte le public, où l'intrigue progresse au gré d'un dialogue qui oscille entre l'anodin et l'*agon*, la confrontation violente [1]. Cet espace est celui de la crise familiale : rentré pour dire sa vérité, épancher sa propre douleur, Louis se trouve confronté à celles des membres de sa famille qu'il a laissés derrière lui et qui ont, eux aussi, des choses à exprimer. Dans l'espace dramatique, Louis va se révéler étonnamment silencieux.

La pièce oscille donc entre deux types de scènes, dont la confrontation enrichit et complexifie le sens de l'œuvre. L'action véritable de la pièce ne commence qu'à la scène 1 de la première partie : on entre alors dans le temps du théâtre, où l'action est

---

1. Dans la comédie antique, l'***agon*** désigne le conflit des ennemis qui se matérialise dans le dialogue théâtral. Par extension, on nomme *agon* tout dialogue particulièrement conflictuel.

accomplie dans un présent circonscrit par des personnages en chair et en os. Louis arrive dans la maison familiale, retrouve les siens, auxquels il sera ensuite confronté un à un. Mais cette dramaturgie traditionnelle et ces dialogues gardent la trace des confidences entendues dans le prologue et poursuivies par la suite dans les scènes où Louis se trouve seul. D'un bout à l'autre de la pièce, le spectateur est hanté par ce que les membres de la famille ignorent, il entend leurs répliques et leurs reproches comme Louis lui-même peut les entendre, et souffre de voir s'installer entre eux une incompréhension tragique et irrémédiable.

Le silence de Louis

Louis, qui était venu pour parler, se trouve donc très vite réduit au silence. D'abord par le babillage des propos convenus lors des retrouvailles familiales et des présentations à Catherine, sa belle-sœur. Les mots du quotidien, de la civilité la plus banale, la langue désincarnée de la politesse formelle masquent ici la gêne ; ils permettent d'esquiver les véritables enjeux de l'échange, les reproches que l'on brûle de prononcer, les questions que l'on n'ose poser. « Rien jamais ici ne se dit facilement », concède Antoine à la scène 3 de la deuxième partie (p. 119). Il y a bien un malaise dans la parole, qui donne lieu à des confrontations mi-comiques mi-poignantes (notamment en I, 1 et I, 2). Mais plus encore que ces scènes où l'on parle pour ne rien dire, ce qui empêche Louis d'énoncer ce pour quoi il était venu ce sont les moments où il se voit confronté, en tête-à-tête, avec les différents membres de sa famille : Suzanne (I, 3), Catherine (I, 6), la Mère (I, 8) et Antoine (I, 11 et II, 3). Louis l'écrivain, l'homme des mots, se trouve alors singulièrement dépossédé de la parole, contraint d'écouter, à tel point que certaines scènes s'apparentent à de longues tirades quasi ininterrompues. Comme l'explique la Mère, Louis, parce qu'il a fui, qu'il les a quittés autrefois et laissés sans nouvelles, doit désormais prendre le temps d'entendre, leur accorder de l'attention, les faire passer au premier plan : « Ils veulent te parler,/ ils ont su que tu revenais et ils ont pensé qu'ils pourraient te parler,/ un certain nombre de choses à te dire depuis longtemps et la possibilité enfin » (I, 8, p. 81). Chacun voit l'occasion de faire entendre ses doléances, ses reproches, ses frustrations. Et Louis, silencieux mais attentif, oublie un moment sa crise personnelle pour s'ouvrir aux souffrances d'autrui. S'il se tait alors, c'est pour ne pas occuper toute la place de la douleur, ne pas forcer les autres à s'effacer pour faire place à la supériorité d'un malheur avec lequel aucun autre ne saurait rivaliser. La crise intime, reléguée au second plan, s'efface au profit de la crise familiale : celle de l'éloignement, de l'abandon ressenti par ceux qui sont restés, qui n'ont pas eu, à la différence de Louis, la liberté de s'inventer un destin, de ceux qui sont demeurés prisonniers du devoir familial, des contraintes du quotidien, d'un complexe d'infériorité face au fantasme de l'écrivain.

C'est ce même complexe d'infériorité, encore attisé par le silence et la distance de Louis, qui rend les échanges difficiles. La peur de mal dire, de se déconsidérer aux yeux de l'intellectuel constitue un frein supplémentaire au dialogue. « Ils voudront t'expliquer mais ils t'expliqueront mal,/ car ils ne te connaissent pas, ou mal./ [...]/ et cela sera mal dit ou dit trop vite,/ d'une manière trop abrupte, ce qui revient au même/ et brutalement encore/ car ils sont brutaux [...]/ et tu ne comprendras pas [...]/ Tu répondras à peine deux ou trois mots », annonce la Mère (I, 8, p. 81-82). La parole malaisée de l'échange cristallise toutes ces difficultés. Et souvent, Louis reste silencieux devant l'effort de ses proches. Suzanne lui reproche les cartes postales « elliptiques » qu'il leur envoyait : « jamais tu ne te sers de cette qualité que tu possèdes [l'art de manier les mots], avec nous, pour nous./ [...] tu ne nous en juges pas dignes » (I, 3, p. 64). Quant à la Mère, elle anticipe : « Tu répondras à peine deux ou trois mots » (I, 8, p. 82). Pourtant, à la fin de l'échange, lorsqu'elle demande : « Petit sourire ?/ Juste "ces deux ou trois mots" ? », la réponse de Louis ouvre la possibilité d'une autre interprétation : « Juste le petit sourire. J'écoutais » (I, 8, p. 87). Le silence de Louis, parfois interprété par ses interlocuteurs comme un signe de mépris, peut aussi être lu comme un effacement altruiste : se taire, écouter ce que les autres ont à dire, c'est reconnaître leur existence, les faire passer au premier plan. Passer sous silence son propre malheur, ne pas le leur imposer, c'est admettre qu'on n'est pas seul à souffrir et refuser d'ajouter au malheur des autres, prouver qu'on a entendu leurs reproches et qu'on en tient compte. La confrontation permet à Louis de faire l'apprentissage d'un usage généreux de l'écoute. Aussi ne faut-il pas se tromper. Si Louis repart finalement sans avoir rien dit, sinon « des mensonges », promettant « d'être là, à nouveau, très bientôt,/ des phrases comme ça » (II, 1, p. 109), ce n'est pas forcément parce qu'il s'est découragé. Certes, on peut voir dans son attitude de la lâcheté : la confidence serait trop difficile ; Louis n'ose pas affronter le tabou de la mort, se confronter à la douleur de ses proches. Ou, autre hypothèse, le protagoniste repartirait avec son secret, parce qu'il serait convaincu qu'une trop grande distance s'est installée entre lui et sa famille, persuadé que l'aveu serait inutile et mal compris [1]. Mais, au côté

1. C'est l'hypothèse que privilégie par exemple l'adaptation filmique de Xavier Dolan (voir ci-dessous, p. 34, et Dossier, p. 167-174).

de ces interprétations pessimistes, plaçant l'intrigue sous le signe de l'échec, subsiste une hypothèse moins sombre. Louis, renonçant à annoncer sa mort, semble avoir intégré les propos de sa mère : « Ce qu'ils veulent, ce qu'ils voudraient [...]/ que tu leur dises/ [...]/ – même si ce n'est pas vrai, un mensonge qu'est-ce que ça fait ? Juste une promesse qu'on fait en sachant par avance qu'on ne la tiendra pas –/ que tu dises à Suzanne de venir, parfois » (I, 8, p. 85). Il est des mutismes salvateurs, des mensonges qui aident à vivre et permettent de sauver la possibilité d'un vivre-ensemble. Louis l'a compris. Le silence dans lequel se trouve reléguée la crise personnelle apparaît dès lors comme la condition nécessaire pour que se referment les blessures de la crise familiale.

Peut-on éviter la crise ?

Chez Lagarce, c'est au cœur du langage que se matérialise la crise, qu'elle soit personnelle ou familiale. L'usage de la parole par les personnages est donc porteur d'enjeux éthiques essentiels. Silence, mensonge, reproche et cri représentent les diverses faces d'un même problème : comment dire, dès lors que la parole, pourtant nécessaire à la survie personnelle, engage la relation à l'autre et met en péril l'ordre familial ? Tous les personnages de la pièce se méfient de la parole, la manient avec précaution, semblent conscients des dangers qu'il y a à mal dire les choses. Dire, dans *Juste la fin du monde*, c'est potentiellement faire du mal. Cela vaut évidemment pour la révélation qu'est venu partager Louis : pour ce dernier, « sans avoir rien dit de ce qui me tenait à cœur » est explicitement synonyme de « sans avoir jamais osé faire tout ce mal » (II, 1, p. 109). Dans ces conditions, mieux vaut s'abstenir. Les mêmes scrupules animent Suzanne, qui n'ose laisser poindre un reproche qu'avec mille précautions, lors de sa confrontation avec son frère : « et si nous devions par hasard, seulement, ne serait-ce qu'à peine, si nous devions insinuer, oser insinuer que peut-être,/ comment dire ?/ tu ne fus pas toujours tellement tellement présent,/ elle répond que "tu as fait et toujours fait ce que tu avais à faire",/ et nous, nous nous taisons » (I, 3, p. 65). Les modalisations [1], les reformulations, les phrases toutes faites fonctionnent comme autant de digues censées amoindrir la violence du reproche. Ce que semblent avoir douloureusement intégré les personnages, c'est que lorsque quelqu'un parle, celui qui entend ce qu'il dit est susceptible d'en souffrir. Telle est la leçon qu'énonce magistralement Antoine. À Louis qui cherche à renouer le dialogue, ce dernier oppose un refus défensif : « Je ne veux pas être là./ Tu vas me parler maintenant,/ [...]/ et il faudra que j'écoute/ et je n'ai pas envie d'écouter./ Je ne veux pas. J'ai peur./ [...]/ Les gens qui ne disent jamais rien, on croit juste qu'ils veulent entendre,/ mais souvent, tu ne sais pas,/ je me taisais pour donner l'exemple » (I, 11, p. 101-102). Face au mot qui porte ou rouvre une blessure, le silence est un refuge, une solution d'esquive.

Si bien que quand advient enfin un véritable dialogue, un échange qui échappe à la double protection des phrases toutes faites et des reproches en sourdine, des vérités chuchotées, il fait l'effet d'une déflagration. Telles sont les scènes de confrontation entre les deux frères, où crise familiale et crise intime se confondent dans un cri, poussé non par Louis mais par Antoine.

Le cri d'Antoine

Les deux parties de la pièce sont construites sur un crescendo émotionnel et une libération progressive des tensions. À leur

1. En linguistique, on appelle *modalisation* toute marque formelle par laquelle un locuteur manifeste sa plus ou moins grande adhésion au contenu d'un énoncé, en nuance la vérité ou la force.

point culminant se trouvent deux grandes scènes qui mettent aux prises les deux frères, Antoine et Louis. Dans la scène 11 de la première partie, Louis se montre moins silencieux qu'ailleurs, mais, à la scène 3 de la deuxième partie, il ne dit presque rien. Et, dans cette confrontation aux airs de duel fratricide, c'est bien le personnage d'Antoine qui se révèle et fait entendre un cri qui n'est pas moins fort ou poignant que celui que retient Louis. La progression de la pièce érige ainsi le frère abandonné en héros concurrent, et ouvre la possibilité d'une autre lecture de la crise au cœur de l'intrigue.

La pièce, on l'a dit, s'ouvre sur Louis, dont le spectateur épouse d'abord le point de vue. Dans les scènes qui suivent, Antoine apparaît comme un être fruste, ancré dans le quotidien, souvent brutal dans sa manière d'empêcher les autres de parler (I, 1 et I, 2). La parole le met mal à l'aise : il peine à la maîtriser et cette maladresse le pousse au bord des larmes (II, 2). Lorsque Louis lui propose de lui faire une confidence, il se montre instinctivement rétif : « tu entames la conversation, tu sais bien faire,/ c'est une méthode, c'est juste une technique pour noyer et tuer les animaux,/ mais moi, je ne veux pas » (I, 11, p. 101). Antoine est parfaitement conscient de l'habileté rhétorique [1] de Louis. Mieux que tous les autres, il a perçu combien ce dernier, à l'aide des mots, s'était construit un ethos [2] d'homme souffrant et exceptionnel, en fonction duquel les membres de la famille doivent adapter leur comportement. Et il ne manque pas de renvoyer violemment au frère « déserteur » cette posture romantique qui les condamne, eux, ceux qui sont restés, à la

---

1. ***Rhétorique*** : relative au discours. La rhétorique est la discipline qui étudie les techniques oratoires pour mettre en œuvre un art de bien parler.

2. L'***ethos*** (« caractère » en grec ancien) désigne l'image que l'orateur construit de lui-même afin de mieux convaincre son auditoire, la manière dont il se présente (souvent à son avantage).

médiocrité et à la culpabilité. Seul, il ose déconstruire la figure doloriste de Louis : « Oh, toi, ça va, “la Bonté même” ! » (II, 2, p. 113), « [c]'est lui, l'Homme malheureux » (intermède, 6, p. 106). Et, seul encore, il énonce l'hypothèse d'un mal qui aurait été fait non *à* Louis (qui n'a de cesse de suggérer qu'il n'a pas été assez aimé et compris), mais *par* Louis, d'un crime dont le frère prodigue ne serait pas la victime mais le perpétrateur. La famille n'a pu ériger Louis en mythe de la « Bonté même » et se fier à sa manière d'arborer « le malheur sur le visage » (II, 3, p. 121) que parce que celui-ci, depuis l'enfance, « se donnait le beau rôle » (II, 2, p. 116), réduisant Antoine à celui de « bête curieuse » (II, 2, p. 114) et brutale. Apparaît dès lors un autre Antoine, non pas un frère jaloux, mais un être blessé, empêché de vivre par la posture adoptée par son frère, en proie à une souffrance non moins légitime que celle de Louis :

> et moi non plus je ne pourrais pas prétendre à mon tour, voilà qui serait plaisant,
> à un malheur insurmontable,
> mais je garde cela surtout en mémoire :
> je cédais, je t'abandonnais des parts entières, je devais me montrer, le mot qu'on me répète,
> je devais me montrer « raisonnable ».
> Je devais faire moins de bruit, te laisser la place, ne pas te contrarier
> et jouir du spectacle apaisant enfin de ta survie légèrement prolongée (II, 3, p. 120).

Cet Antoine-là se révèle étonnamment fin, subtil, capable de saisir le non-dit, la part d'imposture au fondement de l'attitude de son aîné : « tout ton malheur ne fut jamais qu'un malheur soi-disant », lui jette-t-il au visage, une « façon [...]/ que tu as et que tu as toujours eue de tricher,/ de te protéger et de fuir » (II, 3, p. 121). Louis le reconnaît lui-même dans ses confidences au public (I, 10), où, se dévoilant sous un jour moins angélique, il assume ses poses romantiques : « c'était tellement faux,/ je faisais juste mine de » (p. 95). On pourrait arguer que cet aveu ne concerne que la période postérieure à l'annonce de sa mort prochaine. Mais la scène 5 de la première partie complète la démystification, en évoquant des faits plus anciens : « Je compris que cette absence d'amour dont je me plains et qui toujours fut pour moi l'unique raison de mes lâchetés,/ sans que jamais jusqu'alors je ne la voie,/ que cette absence d'amour fit toujours plus souffrir les autres que moi » (p. 76). Antoine le brutal serait donc celui qui, dans sa relecture subjective du passé, aurait su entrevoir une vérité de Louis jusqu'alors imperceptible aux autres.

Sauf que le cri se termine en murmure. On ne se défait pas si facilement de la tendresse et de la peur, et Antoine achève sa démystification en exprimant un remords : « et lorsque tu nous quitteras encore, que tu me laisseras,/ je serai moins encore,/ juste là à me reprocher les phrases que j'ai dites,/ à chercher à les retrouver avec exactitude,/ moins encore,/ avec juste le ressentiment,/ le ressentiment contre moi-même » (II, 3, p. 124). Antoine n'est plus un antagoniste : au cours de ces confrontations dramatiques, une forme de compréhension mutuelle s'est produite entre les deux interlocuteurs, qui parviennent, *in extremis*, à un fragile terrain d'entente :

> ANTOINE. – Louis ?
> LOUIS. – Oui ?
> ANTOINE. – J'ai fini.
> Je ne dirai plus rien.

Seuls les imbéciles ou ceux-là, saisis par la peur, auraient pu en rire.

LOUIS. – Je ne les ai pas entendus (II, 3, p. 124).

L'explosion d'Antoine a donc une vertu résolutive. L'abcès a été crevé, des vérités ont été dites et acceptées, des torts reconnus tacitement. Le silence gardé par Louis sur sa mort prochaine n'est pas échec tragique, mais abstention altruiste, refus de confisquer, une fois de plus, le droit à la douleur des autres en monopolisant le rôle de l'homme malheureux. Mais si résolution de la crise il y a, ce n'est qu'en mode mineur, implicitement, et le sens du dénouement est laissé à l'appréciation du spectateur.

Une crise productive : la force du théâtre

Le théâtre, lieu de résolution de la crise

Lue comme une tranche de vie, réduite à la succession des scènes familiales, la pièce serait désespérante et sa leçon bien amère. Mais la puissance du théâtre tel que Lagarce le pratique est de complexifier le sens, de jouer sur la confrontation des points de vue, d'ouvrir l'interprétation. Si l'on suit le fil de l'action, Louis repart sans avoir rien dit, lesté de son angoisse et de sa solitude, un fardeau encore alourdi par les reproches qu'il a entendus et les remords qu'il en conçoit. Lue ainsi, la pièce s'achèverait sur un constat d'échec. La crise familiale trouverait certes une fragile résolution dans le silence généreux de Louis, mais la crise personnelle, elle, demeurerait tragiquement béante. Ce serait oublier que le théâtre repose sur la double énonciation, que son sens tient non seulement aux paroles que les personnages échangent entre eux, mais aussi à la manière dont les spectateurs comprennent ces dernières. Ce serait oublier en outre que de nombreuses scènes de la pièce mettent en œuvre non pas des échanges au sein de la famille, mais une communication directe entre Louis et l'auditoire. Depuis le prologue, le public sert de confident à Louis. Il partage son secret, il est le dépositaire de ses aveux les plus noirs. Il a saisi le sens et les enjeux implicites de tous les discours, son écoute enrichit les propos des uns et des autres de leur poids d'ironie tragique [1]. Cette conscience aiguë des enjeux du drame décuple les émotions du spectateur, tant la composition de la pièce développe son empathie avec Louis. Ce que n'a pas su deviner la famille, le public l'a perçu, et ainsi le cri retenu de l'épilogue a été poussé. Le véritable lieu de la communication, c'est la salle de théâtre. D'une certaine manière, l'art rachète et compense la vie : l'aveu, le cri, la réconciliation, la consolation, impossibles dans les scènes familiales – ou si difficiles –, sont bien réels lors de la lecture ou d'une représentation de la pièce. Non seulement parce que les plus attentifs se souviennent que Louis a bien lancé un cri libérateur à la scène 10 de la première partie, mais parce que la pièce tout entière constitue une proclamation compensatrice. Le dispositif théâtral choisi par Lagarce a le pouvoir de faire entendre précisément ce qui n'est pas exprimé dans le dialogue. L'œuvre transcende les défaillances du réel. Ce qui n'a

1. L'***ironie tragique*** se manifeste au théâtre quand le spectateur dispose d'informations que certains personnages ignorent, par exemple quand la pièce reprend un mythe célèbre, dont le public connaît la fin.

pu se dire ce dimanche en famille se déploie dans la pièce intitulée *Juste la fin du monde*.

Et c'est aussi dans l'entrelacement des points de vue, dans la confrontation des discours que le sens global de la pièce, sens ouvert et non arrêté, s'élabore. Peu à peu, le spectateur, qui en apprend plus sur Louis, corrige l'image qu'il s'est construite du protagoniste. L'empathie se teinte d'une compréhension plus fine, attentive à la part de posture qui caractérise le personnage, aux défauts qui se font jour à travers les propos de Louis ou dans le discours de ses proches. D'autres points de vue, celui de Suzanne, celui d'Antoine surtout, l'amènent à réévaluer la situation. Le spectateur, comme Louis, perçoit que la crise n'est pas seulement personnelle, mais familiale, et très complexe. Cet élargissement et cet approfondissement progressifs sont rendus possibles par les choix dramaturgiques de Lagarce, qui entremêle non seulement les modalités d'énonciation mais les temporalités. De ce parcours naît une appréhension plus nuancée de la crise : on ne peut pas, dans la pièce, distinguer les bons et les méchants, les coupables et les victimes, les êtres sensibles et les gens obtus. Chacun a sa vérité, sa part de souffrance. Chaque personnage, à un moment ou un autre, accepte de s'ouvrir à autrui, d'effectuer un pas discret, un acte généreux. Ces progrès s'accomplissent sans grand discours explicatif, sans démonstration manichéenne qui assignerait, de manière exclusive, à l'un le beau rôle, à l'autre le mauvais. Ces évolutions subtiles sont livrées à la sagacité et à la sensibilité du spectateur, qui peut reconnaître, dans cette histoire de famille, l'écho de sa propre expérience.

À terme, il est difficile d'assigner un genre à cette pièce, d'autant que le drame contemporain récuse les étiquettes et apprécie la cohabitation des registres. Elle s'ouvre sur une tragédie, alors que ses scènes chorales ont parfois des parfums de comédie. Mais la saveur particulière de *Juste la fin du monde*, sa manière de toucher le public relèvent d'un art de l'entre-deux et de la nuance. « [E]t rien de bien tragique non plus », dit Suzanne (intermède, 4, p. 105). « *Juste* la fin du monde », énonce le titre. On aurait tort de se focaliser seulement sur ses aspects tragiques : l'œuvre de Lagarce est plus subtile.

L'invention poétique

La force de la pièce, qui rend la crise productive sur le plan poétique également, est de ne pas s'en tenir à l'anecdote familiale, au récit d'une journée de retrouvailles malaisées. Cette matière préside à l'invention d'une forme apte à exprimer et à élever son sujet. Lagarce invente une langue pour exprimer la crise et sa résolution. Son dialogue ne se veut pas réaliste, il ne reproduit pas les échanges du quotidien. Dans la présentation typographique même du texte, la volonté d'élaboration poétique saute aux yeux, par le découpage en vers libres et une progression des répliques fondée sur le travail du souffle et la quête de l'expression juste. Cette quête n'est pas aisée. Sortis des facilités des expressions toutes faites et de la langue désincarnée de la politesse formelle, les personnages peinent à exprimer ce qu'ils ressentent, à trouver les mots qui ne trahiront pas leur pensée ni ne blesseront leurs interlocuteurs. Cette conscience de l'importance du choix des mots émane d'une exigence éthique et commande une poétique particulière. Le dialogue progresse lentement, privilégiant les tirades, elles-mêmes ralenties par des reprises et des incises nombreuses qui correspondent à la recherche d'une parfaite adéquation entre les mots et les choses. Maniée avec une infinie précaution, la langue lagarcienne, particulièrement exigeante pour les comédiens, épouse les scrupules des personnages, est au plus près des émotions, quitte à paraître parfois maladroite, empêchée, tâtonnante. Louis, au seuil de son voyage, se reprend, se corrige : il va non pas « annoncer » (formule qui semble trop théâtrale), mais « dire,/ seulement dire », « lentement, avec soin, avec soin et précision » ce qu'il a à dire (prologue, p. 51-52). Lagarce bannit la grandiloquence et Louis lui-même se moque des « sentences symboliques pleines de sous-entendus gratifiants » qu'il prononçait autrefois (I, 10, p. 95). Mieux vaut ne pas dire que mal dire : « je ne sais comment l'expliquer,/ comment le dire,/ alors je ne le dis pas », avoue Suzanne (I, 3, p. 67). La valeur des mots vient de ce qu'ils sont réfléchis, pesés, justes. L'épanorthose, figure de style récurrente dans la pièce, qui consiste à revenir sur ce que l'on vient d'affirmer pour le reformuler, va généralement dans le sens de la nuance, de la minoration, rarement dans celui de l'emphase. Cette forme dédramatisée du dire renforce paradoxalement la puissance émotionnelle du message. Le titre en témoigne : intituler une pièce « Juste la fin du monde », c'est modérer la grandiloquence par la modestie poignante d'un énoncé à hauteur d'homme. Tous les personnages finissent par parler cette langue vraie, qui leur permet *in extremis* de s'entendre et de se comprendre, de retrouver une forme d'égalité.

D'autres éléments témoignent du souci poétique de Lagarce. Au cœur de la pièce, au centre de la structure chiasmatique [1] formée par le prologue et l'épilogue aux deux extrémités, et les

1. ***Chiasmatique*** : fondée sur un chiasme, une figure de style qui consiste à disposer des éléments de manière croisée, selon un schéma AB/BA.

scènes de confrontation qui constituent les parties I et II, se trouve l'intermède, qui a souvent dérouté les metteurs en scène, tant son sens et sa place dans l'intrigue posent problème. Cet intermède, dont le titre renvoie traditionnellement à un divertissement intercalé entre les parties d'un spectacle, ne s'inscrit pas dans le même type de théâtralité que les scènes familiales, quand bien même il mobilise les mêmes personnages. Il observe une temporalité propre, qui brise la continuité des scènes I, 11 et II, 1, et se caractérise par son étrangeté. « C'est comme la nuit en pleine journée », dit Louis (intermède, 1, p. 103), et effectivement, tout nimbe cet intermède d'une aura onirique. Il relève d'une dramaturgie symbolique. L'espace réaliste de la maison familiale fait place à un espace indéterminé, où les personnages se croisent, se cherchent. Le ballet des personnages, leurs conversations apaisées, leur humour parfois, introduisent un peu de fantaisie dans la pièce (particulièrement sensible dans la mise en scène de François Berreur). Le dialogue lui-même témoigne d'une réconciliation possible. Antoine et Suzanne se retrouvent, concèdent qu'ils ne sont pas vraiment malheureux, avouent leurs « petits arrangements » (intermède, 8, p. 108), font front commun. « C'est l'amour », dit la cadette (intermède, 2, p. 104). Tout se passe comme si l'intermède orchestrait une sorte de résilience [1], anticipait le travail du deuil. Il ouvre au sein de la pièce une béance propice à la rêverie et à l'interprétation, aussi bien pour le metteur en scène que pour le spectateur.

Un texte ouvert aux interprétations

La force du texte théâtral est d'être polyphonique et polysémique. *Juste la fin du monde*, parce qu'elle refuse d'asséner des

1. La ***résilience*** est un phénomène psychologique qui se produit quand une personne affectée par un traumatisme l'accepte et se reconstruit.

vérités définitives et travaille la contradiction et les nuances, est une œuvre ouverte, qui a pu susciter des interprétations critiques et scéniques très diverses. Trois exemples suffisent à témoigner de cette richesse et de cette plasticité [1]. Lorsqu'il crée la pièce en 1999, Joël Jouanneau opte pour une grande sobriété de moyens, préférant fixer l'attention des spectateurs sur le texte de Lagarce, incarné avec subtilité par des comédiens dont la retenue et la fragilité suscitent l'émotion. Il met en scène une version littérale de la pièce, centrée sur le personnage de Louis. Lorsque François Berreur, proche de Lagarce, monte à son tour *Juste la fin du monde* en 2008, il en offre une lecture un peu décalée : sa proposition scénique mise sur la stylisation et les ruptures de tons. Hervé Pierre, qui incarne Louis, est plus âgé que le personnage ; bien en chair, souriant, facétieux, habillé en maître des cérémonies et volontiers cabotin, il semble peu conforme à l'image poignante et maladive que suggère le prologue. Mais le décalage prend sens si l'on considère que Louis lui-même avoue jouer un rôle, se complaire dans une posture, et la mise en scène est particulièrement habile à faire saillir les moments comiques et oniriques de la pièce. C'est encore une tout autre interprétation que propose le film de Xavier Dolan, qui ne met pas strictement en scène le texte de Lagarce, mais l'adapte, y compris dans sa langue. Conformément à l'imaginaire romantique du metteur en scène, le film adopte le point de vue et le parti de Louis, jeune intellectuel homosexuel confronté à une famille aussi exubérante que vulgaire. Le rôle d'Antoine est presque gommé, réduit à quelques répliques et à une dureté sans nuance ; le rachat paraît impossible. Aucune de ces propositions ne prétend détenir ou révéler la vérité du texte.

---

1. Sur ces exemples, voir Dossier, p. 157-174, et Cahier photos, p. II-IV.

Cette dernière n'appartient à personne : la force d'un classique est de susciter la perplexité, de permettre des interprétations toujours renouvelées.

■ Mise en scène de Joël Jouanneau à La Colline, 2000, avec Antoine Mathieu (Louis) et Michèle Simonnet (la Mère).

Le geste de la Mère envers Louis, dans la scène 8 de la première partie, témoigne du traitement pudique des sentiments dans la pièce.

CHRONOLOGIE

1957 1995

1957 1995

Repères historiques et culturels

Vie et œuvre de l'auteur

Repères historiques et culturels

1945-1948 Début de la décentralisation théâtrale. Ouverture des centres dramatiques de l'Est (Colmar), de l'Ouest (Rennes) et de Saint-Étienne.

1946 Début de la IVe République.

1947 Le comédien et metteur en scène Jean Vilar fonde le festival d'Avignon.
Jean Genet, *Les Bonnes* (théâtre).

1951 Marguerite Yourcenar, *Mémoires d'Hadrien* (roman).
Jean Vilar prend la tête du Théâtre national populaire.

1954 Début de la guerre d'Algérie.

1956 Nathalie Sarraute, *L'Ère du soupçon* (essai littéraire).

1957 Le dramaturge et romancier Albert Camus reçoit le prix Nobel de littérature.
Roland Barthes, *Mythologies* (essai critique).
Samuel Beckett, *Fin de partie* (théâtre).

1958 Début de la Ve République. Charles de Gaulle est élu président de la République.

1959 Le romancier André Malraux est nommé ministre de la Culture (jusqu'en 1969).
Le metteur en scène polonais Jerzy Grotowski fonde à Wrocław le Théâtre Laboratoire, centre de recherche sur le jeu de l'acteur.
François Truffaut, *Les Quatre Cents Coups* (film).
Eugène Ionesco, *Rhinocéros* (théâtre).
Jean-Paul Sartre, *Les Séquestrés d'Altona* (théâtre).

1960 Yves Klein, *Anthropométries de l'époque bleue* (peintures).

1961 Création de la première Maison de la Culture, au Havre.
Jean Anouilh, *La Grotte* (théâtre).

1962 Fin de la guerre d'Algérie.

1963 Jean-Luc Godard, *Le Mépris* (film).
Mort du dramaturge et cinéaste Jean Cocteau.

1964 Fondation de la compagnie du Théâtre du Soleil par Ariane Mnouchkine.
Le dramaturge et romancier Jean-Paul Sartre refuse le prix Nobel de littérature.

1965 Charles de Gaulle est réélu président de la République.

Vie et œuvre de l'auteur

1957 *14 février* : naissance à Héricourt (Haute-Saône).

1965 La famille s'installe près de Montbéliard (Doubs).

Repères historiques et culturels

1966 Création du festival OFF d'Avignon.
Prix du syndicat de la critique pour *Les Paravents*, de Jean Genet, dans la mise en scène de Roger Blin.
Mise en scène de *US*, sur la guerre du Vietnam, par Peter Brook.

1967 La loi Neuwirth autorise le recours à la contraception en France.

1968 *Mai-juin* : mouvement étudiant, manifestations et grèves ouvrières massives.
Représentation de *Paradise Now* au festival d'Avignon par la troupe du Living Theater.

1969 Démission du général de Gaulle. Georges Pompidou est élu président de la République.
Fondation du groupe de rock britannique Queen, mené par le chanteur Freddie Mercury.
Le dramaturge irlandais Samuel Beckett reçoit le prix Nobel de littérature.

1970 Le dramaturge Eugène Ionesco est élu à l'Académie française.

1971 Augusto Boal, *Théâtre de l'opprimé* (méthode théâtrale).

1972 Création du Centre dramatique national Besançon Franche-Comté.

1973 Premier choc pétrolier et fin de la prospérité économique des Trente Glorieuses.

1974 Valéry Giscard d'Estaing est élu président de la République.
Lancement de la voiture Volkswagen Golf, dont le design pratique et élégant remporte un grand succès.

1975 La loi Veil autorise l'avortement en France.
Michel Foucault, *Surveiller et punir* (essai philosophique).

1976 Théâtre Ouvert, dirigé par Lucien et Micheline Attoun, devient permanent.

Vie et œuvre de l'auteur

1972 Lagarce écrit sa première pièce au collège en classe de troisième.

1975 Lagarce part faire des études de philosophie à Besançon. Il s'inscrit au conservatoire régional d'art dramatique.
Rencontre de l'actrice Mireille Herbstmeyer.

1977 *9 mars* : début de la rédaction du *Journal.*
24 mars : création d'une compagnie théâtrale amateur, le Théâtre de la Roulotte.
Premières représentations de ses pièces : *La Bonne de chez Ducatel* et *Erreur de construction.*

Repères historiques et culturels

1978 Édouard Molinaro, *La Cage aux folles* (film).
Maurice Pialat, *Passe ton bac d'abord* (film).

1980 Mort de Jean-Paul Sartre.

1981 François Mitterrand est élu président de la République.
Jack Lang est nommé ministre de la Culture (jusqu'en 1986).
Premier cas de Sida signalé en France.
Le dramaturge de langue allemande Elias Canetti reçoit le prix Nobel de littérature.
Le comédien et mettre en scène Antoine Vitez prend la tête du Théâtre national de Chaillot.

1982 En France, une loi descend la majorité sexuelle pour les relations homosexuelles au même âge que pour les relations hétérosexuelles (15 ans).
Fin du monopole d'État sur la télévision.

1983 Annie Ernaux, *La Place* (roman autobiographique).

1984 Le philosophe Michel Foucault meurt du Sida.
Prix Goncourt pour *L'Amant*, de Marguerite Duras (roman autobiographique).
Pierre Michon, *Vies minuscules* (nouvelles).

1985 Claude Lanzmann, *Shoah* (film documentaire).
Bernard-Marie Koltès, *Dans la solitude des champs de coton* (théâtre).

1986 Mort du dramaturge Jean Genet.

Vie et œuvre de l'auteur

1978 Écriture d'*Elles disent… l'Odyssée.*
Licence de philosophie.
Publication de la pièce *Carthage, encore* (enregistrée par France Culture en 1979).

1980 Rencontre de l'acteur François Berreur.
Rédaction d'une maîtrise de philosophie sur le sujet *Théâtre et pouvoir en Occident*.
Publication de *Voyage de Madame Knipper vers la Prusse orientale*.

1981 Représentation d'*Ici ou ailleurs.*
Mise en scène de *Turandot,* de Carlo Gozzi.

1982 Représentation de *Voyage de Madame Knipper vers la Prusse orientale* par Jean-Claude Fall.
Adaptation et mise en scène de *Phèdre*, de Jean Racine.
Mise en scène de sa pièce *Noce* par Ghislaine Lenoir.

1983 Mise en scène de *Vagues souvenirs de l'année de la peste* et d'*Histoire d'amour (repérages)*.

1984 Publication de *Retour à la citadelle.*
Mise en scène de *Préparatifs d'une noce à la campagne*, d'après Kafka, et des *Égarements du cœur et de l'esprit*, d'après Crébillon fils.
Mise en scène de sa pièce *Les Orphelins* par Christiane Cohendy.

1985 Mise en scène de *Hollywood.*
Mise en scène de *De Saxe, roman*, présenté dans le cadre du festival du Printemps du théâtre à Paris (mal accueilli).

1986 Location d'un appartement à Paris. Lagarce se partage entre la capitale et Besançon.
Mise en scène d'*Instructions aux domestiques*, d'après l'essai satirique de Jonathan Swift.

Repères historiques et culturels

1987 Première Nuit des Molières.
Le dramaturge Copi meurt du Sida.
Mort du dramaturge et scénariste Jean Anouilh.
Mise en scène de *Dans la solitude des champs de coton*, de Bernard-Marie Koltès, par Patrick Chéreau.

1988 François Mitterrand est réélu président de la République.
Jack Lang est à nouveau ministre de la Culture (jusqu'en 1993).
Mise en scène d'*Une visite inopportune*, de Copi, par Jorge Lavelli.

1989 Fondation de l'association de lutte contre le Sida Act Up-Paris.
Le dramaturge Bernard-Marie Koltès meurt du Sida.
Mort de Samuel Beckett.

1990 77 % des ménages français possèdent une voiture.
Début des traitements du Sida par trithérapie.
Mise en scène d'*Iphigénie à Aulis*, d'Euripide, par Ariane Mnouchkine.
Hervé Guibert, *À l'ami qui ne m'a pas sauvé la vie* (roman autobiographique).

1991 Freddie Mercury meurt du Sida.
Le romancier Hervé Guibert meurt du Sida.
Pascal Quignard, *Tous les matins du monde* (roman).
Mise en scène du *Soulier de satin*, de Paul Claudel, par Antoine Vitez au festival d'Avignon.

1992 L'Organisation mondiale de la santé cesse de considérer l'homosexualité comme une maladie mentale.

1993 Jonathan Demme, *Philadelphia* (film).

Vie et œuvre de l'auteur

1987 Écriture, sous pseudonyme, d'articles sur le cinéma dans le journal *Libération*.
Publication de *Derniers remords avant l'oubli*.
Mise en scène de *Dommage qu'elle soit une putain*, de John Ford.

1988 Découverte de sa séropositivité.
Mise en scène de *Chroniques maritales*, d'après Marcel Jouhandeau.

1989 Début du traitement à l'AZT (pour azidothymidine, premier médicament disponible contre le Sida).
Premières expérimentations avec la vidéo.
Écriture de *Quichotte* (livret d'opéra).
Mise en scène de *Music-hall*.

1990 Il commence à taper à la machine son journal intime.
Séjour à Berlin de plusieurs mois et écriture de *Juste la fin du monde*, refusé par tous les comités de lecture.
Mise en scène d'*On purge bébé*, de Georges Feydeau.
Mise en espace de *Derniers remords avant l'oubli* par Hans Peter Cloos.
Mise en scène de *Retour à la citadelle* par François Rancillac.

1991 Début d'un partenariat avec Le Granit, théâtre de Belfort.
Mise en scène d'*Histoire d'amour (derniers chapitres)*, pièce dans laquelle il joue.
Mise en scène de *La Cantatrice chauve* d'Eugène Ionesco, qui connaît un grand succès.

1992 Hospitalisation.
Sa maladie est rendue publique.
Mise en scène des *Solitaires intempestifs*.
Fondation, avec François Berreur, des éditions Les Solitaires intempestifs.

1993 Il participe à la rencontre autour de *Juste la fin du monde* organisée par Lucien Attoun à Beaubourg.
Réalisation de *Portrait* (vidéo), qui reçoit un prix au festival du film court de São Paulo (Brésil).
Mise en scène du *Malade imaginaire*, de Molière, qui connut un grand succès.

Repères historiques et culturels

1994 Début de l'accès à Internet pour le grand public en France.
Mort d'Eugène Ionesco.

1995 Jacques Chirac est élu président de la République.

1997 Le dramaturge italien Dario Fo reçoit le prix Nobel de littérature.

Vie et œuvre de l'auteur

1994 Nouvelle hospitalisation.
Théâtre Ouvert lui commande un texte, qui deviendra *J'étais dans ma maison et j'attendais que la pluie vienne.*
Le Théâtre national de Bretagne lui commande un texte, qui deviendra *Le Pays lointain.*
Mise en scène de *L'Île des esclaves*, de Marivaux.
Mise en scène des *Règles du savoir-vivre dans la société moderne*.
Mise en espace de *J'étais dans ma maison et j'attendais que la pluie vienne* par Robert Cantarella.

1995 Interview sur France 3 à propos du Sida et de son œuvre dans l'émission Ruban rouge.
Mise en scène de *La Cagnotte*, d'Eugène Labiche.
Début des répétitions de *Lulu*, de Frank Wedekind.
30 septembre : décès.

1997 Publication posthume de trois récits : *L'Apprentissage*, *Le Bain* et *Le Voyage à La Haye.*
Mises en scène de *J'étais dans ma maison et j'attendais que la pluie vienne* par Joël Jouanneau, par Stanislas Nordey et par Philippe Sireuil.
Création de *Nous, les héros* par Olivier Py.

1999 Création de *Juste la fin du monde* par Joël Jouanneau.

2001 Début de la publication du *Théâtre complet* aux Solitaires intempestifs.
Création du *Pays lointain* par François Rancillac.

2003 Création des *Prétendants* par Jean-Pierre Vincent.

2004 Mise en scène de *Derniers remords avant l'oubli* par Jean-Pierre Vincent.

2007 Célébration de l'Année Lagarce pour les cinquante ans de sa naissance.
Mise en scène de *Juste la fin du monde* par François Berreur.

2008 Entrée au répertoire de la Comédie-Française de *Juste la fin du monde* dans la mise en scène de Michel Raskine.

2016 Sortie de *Juste la fin du monde*, adaptation cinématographique par Xavier Dolan.

NOTE SUR LA PRÉSENTE ÉDITION : Nous reproduisons le texte de la pièce tel qu'il a été établi par les éditions Les Solitaires intempestifs en 2007. Cette version inclut les corrections effectuées par comparaison avec le texte du *Pays lointain*, dans lequel Jean-Luc Lagarce a repris d'importants passages de *Juste la fin du monde*.

Juste la fin du monde

Personnages

LOUIS, *34 ans.*
SUZANNE, *sa sœur, 23 ans.*
ANTOINE, *leur frère, 32 ans.*
CATHERINE, *femme d'Antoine, 32 ans.*
LA MÈRE, *mère de Louis, Antoine et Suzanne, 61 ans.*

Cela se passe dans la maison de la Mère et de Suzanne, un dimanche, évidemment, ou bien encore durant près d'une année entière.

Prologue

LOUIS. – Plus tard, l'année d'après
– j'allais mourir à mon tour –
j'ai près de trente-quatre ans maintenant et c'est à cet âge que je mourrai,
5 l'année d'après,
de nombreux mois déjà que j'attendais à ne rien faire, à tricher, à ne plus savoir,
de nombreux mois que j'attendais d'en avoir fini,
l'année d'après,
10 comme on ose bouger parfois,
à peine,
devant un danger extrême, imperceptiblement [1], sans vouloir faire de bruit ou commettre [2] un geste trop violent qui réveillerait l'ennemi et vous détruirait aussitôt,
15 l'année d'après,
malgré tout,
la peur,
prenant ce risque et sans espoir jamais de survivre,
malgré tout,
20 l'année d'après,
je décidai de retourner les voir, revenir sur mes pas, aller sur mes traces et faire le voyage,
pour annoncer, lentement, avec soin, avec soin et précision
– ce que je crois –
25 lentement, calmement, d'une manière posée
– et n'ai-je pas toujours été pour les autres et eux, tout précisément, n'ai-je pas toujours été un homme posé ?,
pour annoncer,

---

1. ***Imperceptiblement*** : discrètement, sans que l'on puisse s'en apercevoir.
2. ***Commettre*** : accomplir, faire à tort.

dire,
30 seulement dire,
ma mort prochaine et irrémédiable [1],
l'annoncer moi-même, en être l'unique messager,
et paraître
– peut-être ce que j'ai toujours voulu, voulu et décidé, en
35 toutes circonstances et depuis le plus loin que j'ose me
souvenir –
et paraître pouvoir là encore décider,
me donner et donner aux autres, et à eux, tout précisément,
toi, vous, elle, ceux-là encore que je ne connais pas (trop tard
40 et tant pis),
me donner et donner aux autres une dernière fois l'illusion
d'être responsable de moi-même et d'être, jusqu'à cette extrémité [2], mon propre maître.

1. ***Irrémédiable*** : inévitable.
2. ***Jusqu'à cette extrémité*** : jusqu'à la fin, jusqu'au bout.

Première partie

Scène 1

SUZANNE. – C'est Catherine.
Elle est Catherine.
Catherine, c'est Louis.
Voilà Louis.
5 Catherine.

ANTOINE. – Suzanne, s'il te plaît, tu le laisses avancer, laisse-le avancer.

CATHERINE. – Elle est contente.

ANTOINE. – On dirait un épagneul.

10 LA MÈRE. – Ne me dis pas ça, ce que je viens d'entendre, c'est vrai, j'oubliais, ne me dites pas ça, ils ne se connaissent pas. Louis, tu ne connais pas Catherine ? Tu ne dis pas ça, vous ne vous connaissez pas, jamais rencontrés, jamais ?

ANTOINE. – Comment veux-tu ? Tu sais très bien.

15 LOUIS. – Je suis très content.

CATHERINE. – Oui, moi aussi, bien sûr, moi aussi.
Catherine.

SUZANNE. – Tu lui serres la main ?

LOUIS. – Louis.
20 Suzanne l'a dit, elle vient de le dire.

SUZANNE. – Tu lui serres la main, il lui serre la main. Tu ne vas tout de même pas lui serrer la main ? Ils ne vont pas se serrer la main, on dirait des étrangers.
Il ne change pas, je le voyais tout à fait ainsi,

25 tu ne changes pas,
il ne change pas, comme ça que je l'imagine, il ne change pas, Louis,
et avec elle, Catherine, elle, tu te trouveras, vous vous trouverez sans problème, elle est la même, vous allez vous trouver.
30 Ne lui serre pas la main, embrasse-la.
Catherine.

ANTOINE. – Suzanne, ils se voient pour la première fois !

LOUIS. – Je vous embrasse, elle a raison, pardon, je suis très heureux, vous permettez ?

35 SUZANNE. – Tu vois ce que je disais, il faut leur dire.

LA MÈRE. – En même temps, qui est-ce qui m'a mis une idée pareille en tête, dans la tête ? Je le savais. Mais je suis ainsi, jamais je n'aurais pu imaginer qu'ils ne se connaissent, que vous ne vous connaissiez pas,
40 que la femme de mon autre fils ne connaisse pas mon fils, cela, je ne l'aurais pas imaginé,
cru pensable.
Vous vivez d'une drôle de manière.

CATHERINE. – Lorsque nous nous sommes mariés, il n'est pas
45 venu et depuis, le reste du temps, les occasions ne se sont pas trouvées.

ANTOINE. – Elle sait ça parfaitement.

LA MÈRE. – Oui, ne m'expliquez pas, c'est bête, je ne sais pas pourquoi je demandais cela,
50 je le sais aussi bien mais j'oubliais, j'avais oublié toutes ces autres années,
je ne me souvenais pas à ce point, c'est ce que je voulais dire.

SUZANNE. – Il est venu en taxi.
J'étais derrière la maison et j'entends une voiture,
55 j'ai pensé que tu avais acheté une voiture, on ne peut pas savoir, ce serait logique.

Je t'attendais et le bruit de la voiture, du taxi, immédiatement,
j'ai su que tu arrivais, je suis allée voir, c'était un taxi,
tu es venu en taxi depuis la gare, je l'avais dit, ce n'est pas
60 bien, j'aurais pu aller te chercher,
j'ai une automobile personnelle,
aujourd'hui tu me téléphones et je serais immédiatement
partie à ta rencontre,
tu n'avais qu'à prévenir et m'attendre dans un café.
65 J'avais dit que tu ferais ça,
je leur ai dit,
que tu prendrais un taxi,
mais ils ont tous pensé que tu savais ce que tu avais à faire.

LA MÈRE. – Tu as fait un bon voyage ? Je ne t'ai pas demandé.

70 LOUIS. – Je vais bien.
Je n'ai pas de voiture, non.
Toi, comment est-ce que tu vas ?

ANTOINE. – Je vais bien.
Toi, comment est-ce que tu vas ?

75 LOUIS. – Je vais bien.
Il ne faut rien exagérer, ce n'est pas un grand voyage.

SUZANNE. – Tu vois, Catherine, ce que je disais,
c'est Louis,
il n'embrasse jamais personne,
80 toujours été comme ça.
Son propre frère, il ne l'embrasse pas.

ANTOINE. – Suzanne, fous-nous la paix !

SUZANNE. – Qu'est-ce que j'ai dit ?
Je ne t'ai rien dit, je ne lui dis rien à celui-là,
85 je te parle ?
Maman !

Scène 2

CATHERINE. – Ils sont chez leur autre grand-mère,
nous ne pouvions pas savoir que vous viendriez,
et les lui retirer à la dernière seconde, elle n'aurait pas admis.
Ils auraient été très heureux de vous voir, cela, on n'en doute
5 pas une seconde
– non ? –,
et moi aussi, Antoine également,
nous aurions été heureux, évidemment, qu'ils vous connaissent enfin.
10 Ils ne vous imaginent pas.

La plus grande a huit ans.
On dit, mais je ne me rends pas compte,
je ne suis pas la mieux placée,
tout le monde dit ça,
15 on dit,
et ces choses-là ne me paraissent jamais très logiques
– juste un peu, comment dire ? pour amuser,
non ? –,
je ne sais pas,
20 on dit et je ne vais pas les contredire, qu'elle ressemble à Antoine,
on dit qu'elle est exactement son portrait, en fille,
la même personne.
On dit toujours des choses comme ça, de tous les enfants on
25 le dit, je ne sais pas, pourquoi non ?

LA MÈRE. – Le même caractère, le même sale mauvais caractère,
ils sont les deux mêmes, pareils et obstinés [1].
Comme il est là aujourd'hui, elle sera plus tard.

---

1. ***Obstinés*** : tenaces, têtus.

CATHERINE. – Vous nous aviez envoyé un mot,
30 vous m'avez envoyé un mot, un petit mot, et des fleurs, je me souviens.
C'était, ce fut, c'était une attention très gentille et j'en ai été touchée, mais en effet,
vous ne l'avez jamais vue.
35 Ce n'est pas aujourd'hui, tant pis, non, ce ne sera pas aujourd'hui que cela changera.
Je lui raconterai.
Nous vous avions, avons, envoyé une photographie d'elle
– elle est toute petite, toute menue [1], c'est un bébé, ces
40 idioties ! –
et sur la photographie, elle ne ressemble pas à Antoine, pas du tout, elle ne ressemble à personne,
quand on est si petit on ne ressemble à rien,
je ne sais pas si vous l'avez reçue.
45 Aujourd'hui, elle est très différente, une fille, et vous ne pourriez la reconnaître,
elle a grandi et elle a des cheveux.
C'est dommage.

ANTOINE. – Laisse ça, tu l'ennuies.

50 LOUIS. – Pas du tout,
pourquoi est-ce que tu dis ça, ne me dis pas ça.

CATHERINE. – Je vous ennuie, j'ennuie tout le monde avec ça, les enfants,
on croit être intéressante.

55 LOUIS. – Je ne sais pas pourquoi il a dit ça,
je n'ai pas compris,
pourquoi est-ce que tu as dit ça ?
c'est méchant, pas méchant, non, c'est déplaisant.

---

1. *Menue* : mince, frêle.

Cela ne m'ennuie pas du tout, tout ça, mes filleuls, neveux,
60 mes neveux, ce ne sont pas mes filleuls, mes neveux, nièces, ma nièce, ça m'intéresse.

Il y a aussi un petit garçon, il s'appelle comme moi.
Louis ?

CATHERINE. – Oui, je vous demande pardon.

65 LOUIS. – Cela me fait plaisir, je suis touché, j'ai été touché.

CATHERINE. – Il y a un petit garçon, oui.
Le petit garçon a,
il a maintenant six ans.
Six ans ?
70 Je ne sais pas, quoi d'autre ?
Ils ont deux années de différence, deux années les séparent.
Qu'est-ce que je pourrais ajouter ?

ANTOINE. – Je n'ai rien dit,
ne me regarde pas comme ça !
75 Tu vois comme elle me regarde ?
Qu'est-ce que j'ai dit ?
Ce n'est pas ce que j'ai dit qui doit, qui devrait, ce n'est pas ce que j'ai dit qui doit t'empêcher,
je n'ai rien dit qui puisse te troubler,
80 elle est troublée,
elle te connaît à peine et elle est troublée,
Catherine est comme ça.
Je n'ai rien dit.
Il t'écoute,
85 cela t'intéresse ?
Il t'écoute, il vient de le dire,
cela l'intéresse, nos enfants, tes enfants, mes enfants,
cela lui plaît,
cela te plaît ?

90 Il est passionné, c'est un homme passionné par cette description de notre progéniture[1],
il aime ce sujet de conversation,
je ne sais pas pourquoi, ce qui m'a pris,
rien sur son visage ne manifestait le sentiment de l'ennui,
95 j'ai dit ça, ce devait être sans y penser.

CATHERINE. – Oui, non, je ne pensais pas à ça.

LOUIS. – C'est pénible, ce n'est pas bien.
Je suis mal à l'aise,
excuse-moi,
100 excusez-moi,
je ne t'en veux pas, mais tu m'as mis mal à l'aise et là, maintenant,
je suis mal à l'aise.

ANTOINE. – Cela va être de ma faute.
105 Une si bonne journée.

LA MÈRE. – Elle parlait de Louis,
Catherine, tu parlais de Louis,
le gamin.
Laisse-le, tu sais comment il est.

110 CATHERINE. – Oui. Pardon. Ce que je disais,
il s'appelle comme vous, mais, à vrai dire…

ANTOINE. – Je m'excuse.
Ça va, là, je m'excuse, je n'ai rien dit, on dit que je n'ai rien dit,
115 mais tu ne me regardes pas comme ça,
tu ne continues pas à me regarder ainsi,
franchement, franchement,
qu'est-ce que j'ai dit ?

---

1. ***Progéniture*** : terme scientifique (employé ironiquement) qui désigne les enfants.

CATHERINE. – J'ai entendu.
120 Je t'ai entendu.

Ce que je dis, il porte avant tout,
c'est plutôt là l'origine
– je raconte –
il porte avant tout le prénom de votre père et fatalement [1], par
125 déduction…

ANTOINE. – Les rois de France [2].

CATHERINE. – Écoute, Antoine,
écoute-moi, je ne dis rien, cela m'est égal,
tu racontes à ma place !

130 ANTOINE. – Je n'ai rien dit,
je plaisantais,
on ne peut pas plaisanter,
un jour comme aujourd'hui, si on ne peut pas plaisanter…

LA MÈRE. – Il plaisante, c'est une plaisanterie qu'il a déjà faite.

135 ANTOINE. – Explique.

CATHERINE. – Il porte le prénom de votre père,
je crois, nous croyons, nous avons cru, je crois que c'est bien,
cela faisait plaisir à Antoine, c'est une idée auquel, à laquelle,
une idée à laquelle il tenait,
140 et moi,
je ne saurais rien y trouver à redire
– je ne déteste pas ce prénom.
Dans ma famille, il y a le même genre de traditions, c'est
peut-être moins suivi,
145 je ne me rends pas compte, je n'ai qu'un frère, fatalement,

---

1. ***Fatalement*** : inévitablement.
2. Antoine fait ici référence au prénom *Louis* qui a été celui de nombreux rois de France, notamment parmi la dynastie des Bourbons. Dans la tradition monarchique, le fils aîné porte le prénom du grand-père paternel.

et il n'est pas l'aîné, alors,
le prénom des parents ou du père du père de l'enfant mâle,
le premier garçon, toutes ces histoires.
Et puis,
150 et puisque vous n'aviez pas d'enfant, puisque vous n'avez pas d'enfant,
– parce qu'il aurait été logique, nous le savons… –
ce que je voulais dire :
mais puisque vous n'avez pas d'enfant
155 et Antoine dit ça,
tu dis ça, tu as dit ça,
Antoine dit que vous n'en aurez pas
– ce n'est pas décider de votre vie mais je crois qu'il n'a pas tort. Après un certain âge, sauf exception, on abandonne,
160 on renonce –
puisque vous n'avez pas de fils,
c'est surtout cela,
puisque vous n'aurez pas de fils,
il était logique
165 (logique, ce n'est pas un joli mot pour une chose à l'ordinaire heureuse et solennelle [1], le baptême des enfants, bon)
il était logique, on me comprend,
cela pourrait paraître juste des traditions, de l'histoire ancienne mais c'est aussi ainsi que nous vivons,
170 il paraissait logique,
nous nous sommes dit ça, que nous l'appelions Louis, comme votre père, donc, comme vous, de fait.
Je pense aussi que cela fait plaisir à votre mère.

ANTOINE. – Mais tu restes l'aîné, aucun doute là-dessus.

175 LA MÈRE. – Dommage vraiment que tu ne puisses le voir.
Et si à ton tour…

---

1. ***Solennelle*** : qui a de l'importance et s'accompagne d'un cérémonial.

LOUIS. – Et là, pour ce petit garçon,
comment est-ce que vous avez dit ? « L'héritier mâle » ?
Je n'avais pas envoyé de mot ?

180 ANTOINE. – Mais merde, ce n'est pas de ça qu'elle parlait !

CATHERINE. – Antoine !

Scène 3

SUZANNE. – Lorsque tu es parti
– je ne me souviens pas de toi –
je ne savais pas que tu partais pour tant de temps, je n'ai pas fait attention,
5 je ne prenais pas garde,
et je me suis retrouvée sans rien.
Je t'oubliai assez vite.
J'étais petite, jeune, ce qu'on dit, j'étais petite.

Ce n'est pas bien que tu sois parti,
10 parti si longtemps,
ce n'est pas bien et ce n'est pas bien pour moi
et ce n'est pas bien pour elle
(elle ne te le dira pas)
et ce n'est pas bien encore, d'une certaine manière,
15 pour eux, Antoine et Catherine.
Mais aussi
– je ne crois pas que je me trompe –,
mais aussi ce ne doit pas, ça n'a pas dû, ce ne doit pas être bien pour toi non plus,
20 pour toi aussi.
Tu as dû, parfois,
même si tu ne l'avoues pas, jamais,
même si tu ne devais jamais l'avouer
– et il s'agit bien d'aveu –

25 tu as dû parfois, toi aussi
(ce que je dis)
toi aussi,
tu as dû parfois avoir besoin de nous et regretter de ne pouvoir nous le dire.
30 Ou, plus habilement
– je pense que tu es un homme habile, un homme qu'on pourrait qualifier d'habile, un homme « plein d'une certaine habilité » –
ou plus habilement encore, tu as dû parfois regretter de ne
35 pouvoir nous faire sentir ce besoin de nous
et nous obliger, de nous-mêmes, à nous inquiéter de toi.

Parfois, tu nous envoyais des lettres,
parfois tu nous envoies des lettres,
ce ne sont pas des lettres, qu'est-ce que c'est ?
40 de petits mots, juste des petits mots, une ou deux phrases,
rien, comment est-ce qu'on dit ?
elliptiques [1].
« Parfois, tu nous envoyais des lettres elliptiques. »
Je pensais, lorsque tu es parti
45 (ce que j'ai pensé lorsque tu es parti),
lorsque j'étais enfant et lorsque tu nous as faussé compagnie
(là que ça commence),
je pensais que ton métier, ce que tu faisais ou allais faire dans la vie,
50 ce que tu souhaitais faire dans la vie,
je pensais que ton métier était d'écrire (serait d'écrire)
ou que, de toute façon
– et nous éprouvons les uns et les autres, ici, tu le sais, tu ne peux pas ne pas le savoir, une certaine forme d'admiration,

1. ***Elliptiques*** : au contenu bref, allusif, auxquels il manque un ou plusieurs éléments.

55 c'est le terme exact, une certaine forme d'admiration pour toi à cause de ça –,
ou que, de toute façon,
si tu en avais la nécessité [1],
si tu en éprouvais la nécessité,
60 si tu en avais, soudain, l'obligation ou le désir, tu saurais écrire,
te servir de ça pour te sortir d'un mauvais pas ou avancer plus encore.
Mais jamais, nous concernant,
65 jamais tu ne te sers de cette possibilité, de ce don [2] (on dit comme ça, c'est une sorte de don, je crois, tu ris)
jamais, nous concernant, tu ne te sers de cette qualité
– c'est le mot et un drôle de mot puisqu'il s'agit de toi –
jamais tu ne te sers de cette qualité que tu possèdes, avec
70 nous, pour nous.
Tu ne nous en donnes pas la preuve, tu ne nous en juges pas dignes.
C'est pour les autres.

Ces petits mots
75 – les phrases elliptiques –
ces petits mots, ils sont toujours écrits au dos de cartes postales
(nous en avons aujourd'hui une collection enviable)
comme si tu voulais, de cette manière, toujours paraître être
80 en vacances,
je ne sais pas, je croyais cela,
ou encore, comme si, par avance,
tu voulais réduire la place que tu nous consacrerais
et laisser à tous les regards les messages sans importance

1. ***La nécessité*** : le besoin.
2. Depuis l'Antiquité jusqu'au XXe siècle, la figure de l'écrivain a été sacralisée. On a longtemps considéré que l'inspiration était un don divin.

85 que tu nous adresses.
« Je vais bien et j'espère qu'il en est de même pour vous. »
Et même, pour un jour comme celui d'aujourd'hui,
même pour annoncer une nouvelle de cette importance,
et tu ne peux pas ignorer que ce fut une nouvelle importante
90 pour nous,
nous tous, même si les autres ne te le disent pas,
tu as juste écrit, là encore, quelques rapides indications d'heure et de jour au dos d'une carte postale achetée très certainement dans un bureau de tabac et représentant, que je
95 me souvienne, une ville nouvelle de la grande périphérie [1], vue d'avion, avec, on peut s'en rendre compte aisément, au premier plan, le parc des expositions internationales [2].

Elle, ta mère, ma mère,
elle dit que tu as fait et toujours fait,
100 et depuis sa mort à lui,
que tu as fait et toujours fait ce que tu avais à faire.
Elle répète ça
et si nous devions par hasard, seulement, ne serait-ce qu'à peine, si nous devions insinuer, oser insinuer que peut-être,
105 comment dire ?
tu ne fus pas toujours tellement tellement présent,
elle répond que « tu as fait et toujours fait ce que tu avais à faire »,
et nous, nous nous taisons,
110 est-ce qu'on sait ?
on ne te connaît pas.
Ce que je suppose, ce que j'ai supposé et Antoine pense comme moi,

---

1. ***Périphérie*** : banlieue d'une ville.
2. ***Parc des expositions internationales*** : lieu qui accueille des foires, des salons professionnels ou encore des évènements culturels et sportifs.

il me le confirma lorsqu'il pensa que sur ce point comme sur
115 d'autres, j'étais en âge de comprendre,
c'est que jamais tu n'oublias les dates essentielles de nos vies,
les anniversaires quels qu'ils soient,
que toujours tu restas proche d'elle, d'une certaine manière,
et que nous n'avons aucun droit de te reprocher ton absence.

120 C'est étrange,
je voulais être heureuse et l'être avec toi
– on se dit ça, on se prépare –
et je te fais des reproches et tu m'écoutes,
tu sembles m'écouter sans m'interrompre.

125 J'habite toujours ici avec elle.
Antoine et Catherine, avec les enfants
– je suis la marraine de Louis –
ont une petite maison, pavillon, j'allais rectifier [1],
je ne sais pas pourquoi tu dois aimer (ce que je pense)
130 tu dois aimer ces légères nuances, petite maison, bon,
comme bien d'autres, à quelques kilomètres de nous, par là,
vers la piscine découverte omnisports [2],
tu prends le bus 9 et ensuite le 62 et ensuite tu dois marcher
encore un peu.
135 C'est bien, cela ne me plaît pas, je n'y vais jamais mais c'est
bien.
Je ne sais pas pourquoi,
je parle,
et cela me donne presque envie de pleurer,
140 tout ça,
que Antoine habite près de la piscine.

---

1. *Rectifier* : corriger.
2. *Omnisports* : où l'on peut pratiquer tous les sports. La « piscine découverte omnisports » est sans doute une invention de l'auteur fondée sur les noms habituels de ce genre d'infrastructures.

Non, ce n'est pas bien,
c'est un quartier plutôt laid, ils reconstruisent mais cela ne peut pas s'arranger,
145 je n'aime pas du tout l'endroit où il habite, c'est loin,
je n'aime pas,
ils viennent toujours ici et nous n'allons jamais là-bas.
Ces cartes postales, tu pouvais mieux les choisir, je ne sais pas, je les aurais collées au mur, j'aurais pu les montrer aux
150 autres filles !
Bon. Ce n'est rien.
J'habite toujours ici avec elle. Je voudrais partir mais ce n'est guère possible,
je ne sais comment l'expliquer,
155 comment le dire,
alors je ne le dis pas.
Antoine pense que j'ai le temps,
il dit toujours des choses comme ça, tu verras (tu t'es peut-être déjà rendu compte),
160 il dit que je ne suis pas mal,
et en effet, si on y réfléchit
– et en effet, j'y réfléchis, je ris, voilà, je me fais rire –
en effet, je n'y suis pas mal, ce n'est pas ça que je dis.
Je ne pars pas, je reste,
165 je vis où j'ai toujours vécu mais je ne suis pas mal.
Peut-être
(est-ce qu'on peut deviner ces choses-là ?)
peut-être que ma vie sera toujours ainsi, on doit se résigner [1], bon,
170 il y a des gens et ils sont le plus grand nombre,
il y a des gens qui passent toute leur existence là où ils sont nés

1. ***Se résigner*** : renoncer à se battre, accepter quelque chose que l'on juge inévitable.

et où sont nés avant eux leurs parents,
ils ne sont pas malheureux,
175 on doit se contenter,
ou du moins ils ne sont pas malheureux à cause de ça, on ne peut pas le dire,
et c'est peut-être mon sort, ce mot-là, ma destinée, cette vie.
Je vis au second étage, j'ai ma chambre, je l'ai gardée,
180 et aussi la chambre d'Antoine
et la tienne encore si je veux,
mais celle-là, nous n'en faisons rien,
c'est comme un débarras, ce n'est pas méchanceté, on y met les vieilleries qui ne servent plus mais qu'on n'ose pas jeter,
185 et d'une certaine manière,
c'est beaucoup mieux,
ce qu'ils disent tous lorsqu'ils se mettent contre moi,
beaucoup mieux que ce que je pourrais trouver avec l'argent que je gagne si je partais.
190 C'est comme une sorte d'appartement.
C'est comme une sorte d'appartement, mais, et ensuite j'arrête,
mais ce n'est pas ma maison, c'est la maison de mes parents, ce n'est pas pareil,
195 tu dois pouvoir comprendre cela.

J'ai aussi des choses qui m'appartiennent, les choses ménagères,
tout ça, la télévision et les appareils pour entendre la musique
et il y a plus chez moi, là-haut,
200 je te montrerai
(toujours Antoine),
il y a plus de confort qu'il n'y en a ici-bas [1],

---

1. ***Ici-bas*** : expression religieuse qui désigne le monde terrestre, par opposition à « là-haut » qui renvoie au Paradis.

non, pas « ici-bas », ne te moque pas de moi,
qu'il n'y en a ici.
205 Toutes ces choses m'appartiennent,
je ne les ai pas toutes payées, ce n'est pas fini,
mais elles m'appartiennent
et c'est à moi, directement,
qu'on viendrait les reprendre si je ne les payais pas.

210 Et quoi d'autre encore ?
Je parle trop mais ce n'est pas vrai,
je parle beaucoup quand il y a quelqu'un, mais le reste du temps, non,
sur la durée cela compense,
215 je suis proportionnellement plutôt silencieuse.
Nous avons une voiture, ce n'est pas seulement la mienne
mais elle n'a pas voulu apprendre à conduire,
elle dit qu'elle a peur,
et je suis le chauffeur.
220 C'est bien pratique, cela nous rend service et on n'est pas toujours obligées de demander aux autres.

C'est tout.

Ce que je veux dire, c'est que tout va bien et que tu aurais eu tort,
225 en effet,
de t'inquiéter.

Scène 4

LA MÈRE. – Le dimanche…

ANTOINE. – Maman !

LA MÈRE. – Je n'ai rien dit,
je racontais à Catherine.
5 Le dimanche…

ANTOINE. – Elle connaît ça par cœur.

CATHERINE. – Laisse-la parler,
tu ne veux laisser parler personne.
Elle allait parler.

10 LA MÈRE. – Cela le gêne.

On travaillait,
leur père travaillait, je travaillais
et le dimanche
– je raconte, n'écoute pas –,
15 le dimanche, parce que, en semaine, les soirs sont courts, on devait se lever le lendemain, les soirs de la semaine ce n'était pas la même chose,
le dimanche, on allait se promener.
Toujours et systématique [1].

20 CATHERINE. – Où est-ce que tu vas, qu'est-ce que tu fais ?

ANTOINE. – Nulle part,
je ne vais nulle part,
où veux-tu que j'aille ?
Je ne bouge pas, j'écoutais.
25 Le dimanche.

LOUIS. – Reste avec nous, pourquoi non ? C'est triste.

---

1. ***Systématique*** : habituellement, immuablement.

LA MÈRE. – Ce que je disais :
tu ne le connais plus, le même mauvais caractère,
borné,
30 enfant déjà, rien d'autre !
Et par plaisir souvent,
tu le vois là comme il a toujours été.

Le dimanche
– ce que je raconte –
35 le dimanche nous allions nous promener.
Pas un dimanche où on ne sortait pas, comme un rite [1], je disais cela, un rite,
une habitude.
On allait se promener, impossible d'y échapper.

40 SUZANNE. – C'est l'histoire d'avant,
lorsque j'étais trop petite
ou lorsque je n'existais pas encore.

LA MÈRE. – Bon, on prenait la voiture,
aujourd'hui vous ne faites plus ça,
45 on prenait la voiture,
nous n'étions pas extrêmement riches, non, mais nous avions une voiture et je ne crois pas avoir jamais connu leur père sans une voiture.
Avant même que nous nous marions, mariions ?
50 avant qu'on ne soit mariés, je le voyais déjà
– je le regardais –
il avait une voiture,
une des premières dans ce coin-ci,
vieille et laide et faisant du bruit, trop,
55 mais, bon, c'était une voiture,
il avait travaillé et elle était à lui,
c'était la sienne, il n'en était pas peu fier.

---

1. ***Un rite*** : une habitude, une coutume.

ANTOINE. – On lui fait confiance.

LA MÈRE. – Ensuite, notre voiture, plus tard,
60 mais ils ne doivent pas se souvenir,
ils ne peuvent pas, ils étaient trop petits,
je ne me rends pas compte, oui, peut-être,
nous en avions changé,
notre voiture était longue, plutôt allongée,
65 « aérodynamique [1] »,
et noire,
parce que noir, il disait cela, ses idées,
noir cela serait plus « chic », son mot,
mais bien plutôt parce que en fait il n'en avait pas trouvé
70 d'autre.
Rouge, je le connais, rouge, voilà, je crois, ce qu'il aurait préféré.

Le matin du dimanche, il la lavait, il l'astiquait [2], un maniaque,
75 cela lui prenait deux heures
et l'après-midi, après avoir mangé,
on partait.
Toujours été ainsi, je ne sais pas,
plusieurs années, belles et longues années,
80 tous les dimanches comme une tradition,
pas de vacances, non, mais tous les dimanches,
qu'il neige, qu'il vente,
il disait les choses comme ça, des phrases pour chaque situation de l'existence,
85 « qu'il pleuve, qu'il neige, qu'il vente »,
tous les dimanches, on allait se promener.

---

1. ***Aérodynamique*** : dont la forme est conçue pour offrir le moins de résistance possible à l'air, et donc augmenter sa vitesse.
2. ***Il l'astiquait*** : il la faisait briller en frottant.

Quelquefois aussi,
le premier dimanche de mai, je ne sais plus pourquoi,
une fête peut-être,
90 le premier dimanche après le 8 mars qui est la date de mon anniversaire, là,
et lorsque le 8 mars tombait un dimanche, bon,
et encore le premier dimanche des congés d'été
– on disait qu'on « partait en vacances », on klaxonnait, et le
95 soir, en rentrant, on disait que tout compte fait, on était mieux à la maison,
des âneries –
et un peu aussi avant la rentrée des classes, l'inverse, là, comme si on rentrait de vacances, toujours les mêmes
100 histoires,
quelquefois,
ce que j'essaie de dire,
nous allions au restaurant,
toujours les mêmes restaurants, pas très loin et les patrons
105 nous connaissaient et on y mangeait toujours les mêmes choses,
les spécialités et les saisons,
la friture de carpe ou des grenouilles à la crème, mais ceux-là n'aiment pas ça.

110 Après, ils eurent treize et quatorze ans,
Suzanne était petite, ils ne s'aimaient pas beaucoup, ils se chamaillaient toujours, ça mettait leur père en colère, ce furent les dernières fois et plus rien n'était pareil.

Je ne sais pas pourquoi je raconte ça, je me tais.

115 Des fois encore,
des pique-niques, c'est tout, on allait au bord de la rivière,
oh là là là !
bon, c'est l'été et on mange sur l'herbe, salade de thon avec du riz et de la mayonnaise et des œufs durs

120 – celui-là aime toujours autant les œufs durs –
et ensuite, on dormait un peu, leur père et moi, sur la couverture, grosse couverture verte et rouge,
et eux, ils allaient jouer à se battre.
C'était bien.

125 Après, ce n'est pas méchant ce que je dis,
après ces deux-là sont devenus trop grands, je ne sais plus,
est-ce qu'on peut savoir comment tout disparaît ?
ils ne voulurent plus venir avec nous, ils allaient chacun de leur côté faire de la bicyclette, chacun pour soi,
130 et nous seulement avec Suzanne,
cela ne valait plus la peine.

ANTOINE. – C'est notre faute.

SUZANNE. – Ou la mienne.

Scène 5

LOUIS. – C'était il y a dix jours à peine peut-être
– où est-ce que j'étais ? –
ce devait être il y a dix jours
et c'est peut-être aussi pour cette unique et infime [1] raison
5 que je décidai de revenir ici.
Je me suis levé
et j'ai dit que je viendrais les voir,
rendre visite,
et ensuite, les jours suivants,
10 malgré les excellentes raisons que je me suis données,
je n'ai plus changé d'avis.

1. ***Infime*** : minuscule, qui a peu d'importance.

Il y a dix jours,
j'étais dans mon lit et je me suis éveillé,
calmement, paisible
15 – cela fait longtemps,
aujourd'hui un an, je l'ai dit au début,
cela fait longtemps que cela ne m'arrive plus et que je me retrouve toujours, chaque matin, avec juste en tête pour commencer, commencer à nouveau,
20 juste en tête l'idée de ma propre mort à venir –
je me suis éveillé, calmement, paisible,
avec cette pensée étrange et claire

je ne sais pas si je pourrai bien la dire

avec cette pensée étrange et claire
25 que mes parents, que mes parents,
et les gens encore, tous les autres, dans ma vie,
les gens les plus proches de moi,
que mes parents et tous ceux que j'approche ou qui s'approchèrent de moi,
30 mon père aussi par le passé, admettons que je m'en souvienne,
ma mère, mon frère là aujourd'hui
et ma sœur encore,
que tout le monde après s'être fait une certaine idée de moi,
35 un jour ou l'autre ne m'aime plus, ne m'aima plus
et qu'on ne m'aime plus
(ce que je veux dire)
« au bout du compte »,
comme par découragement, comme par lassitude [1] de moi,
40 qu'on m'abandonna toujours car je demande l'abandon

c'était cette impression, je ne trouve pas les mots,
lorsque je me réveillai

1. ***Lassitude*** : fatigue, écœurement.

– un instant, on sort du sommeil, tout est limpide, on croit le saisir, pour disparaître aussitôt –
45 qu'on m'abandonna toujours,
peu à peu,
à moi-même, à ma solitude au milieu des autres,
parce qu'on ne saurait m'atteindre,
me toucher,
50 et qu'il faut renoncer,

et on renonce à moi, ils renoncèrent à moi,
tous,
d'une certaine manière,
après avoir tant cherché à me garder auprès d'eux,
55 à me le dire aussi,
parce que je les en décourage,
et parce qu'ils veulent comprendre que me laisser en paix,
semblant ne plus se soucier de moi, c'est m'aimer plus encore.

60 Je compris que cette absence d'amour dont je me plains et qui toujours fut pour moi l'unique raison de mes lâchetés,
sans que jamais jusqu'alors je ne la voie,
que cette absence d'amour fit toujours plus souffrir les autres que moi.

65 Je me réveillai avec l'idée étrange et désespérée et indestructible encore
qu'on m'aimait déjà vivant comme on voudrait m'aimer mort
sans pouvoir et savoir jamais rien me dire.

Scène 6

LOUIS. – Vous ne dites rien, on ne vous entend pas.

CATHERINE. – Pardon, non, je ne sais pas.
Que voulez-vous que je dise ?

LOUIS. – Je suis désolé pour l'incident, tout à l'heure,
5 je voulais que vous le sachiez.
Je ne sais pas pourquoi il a dit ça, je n'ai pas compris,
Antoine.
Il veut toujours que je ne m'intéresse pas, il a dû vous prévenir contre moi.

10 CATHERINE. – Je n'y songeais pas, je n'y songeais plus, ce n'était pas important.
Pourquoi dites-vous ça :
« il a dû vous prévenir contre moi »,
qu'il a dû « me prévenir contre vous »,
15 c'est une drôle d'idée.
Il parle de vous comme il doit et il n'en parle de toute façon pas souvent,
presque jamais,
je ne crois pas qu'il parle de vous et jamais en ces termes,
20 rien entendu de tel, vous vous trompez.

Il croit, je crois cela, il croit que vous ne voulez rien savoir de lui, c'est ça, que vous ne voulez rien savoir de sa vie,
que sa vie, ce n'est rien pour vous,
moi, les enfants, tout ça, son métier, le métier qu'il fait…
25 Vous connaissez son métier, vous savez ce qu'il fait dans la vie ?
On ne dit pas vraiment un métier,
vous, vous avez un métier, un métier c'est ce qu'on a appris,
ce pour quoi on s'est préparé, je ne me trompe pas ?
30 Vous connaissez sa situation ?

Elle n'est pas mauvaise, elle pourrait être plus mauvaise,
elle n'est pas mauvaise du tout.
Sa situation, vous ne la connaissez pas,
est-ce que vous connaissez son travail ? Ce qu'il fait ?
35 Ce n'est pas un reproche, ça m'ennuierait que vous le preniez ainsi,
si vous le prenez ainsi ce n'est pas bien et vous avez tort,
ce n'est pas un reproche :
moi-même, ce que je peux dire, moi-même je ne saurais exac-
40 tement, avec exactitude, je ne saurais vous dire son rôle.
Il travaille dans une petite usine d'outillage,
par là,
on dit comme ça, une petite usine d'outillage, je sais où c'est,
parfois je vais l'attendre,
45 maintenant presque plus mais avant j'allais l'attendre,
il construit des outils, j'imagine, c'est logique, je suppose,
qu'est-ce qu'il y a à raconter ?
Il doit construire des outils mais je ne saurais pas non plus expliquer toutes les petites opérations qu'il accumule chaque
50 jour et je ne saurais pas vous reprocher de ne pas le savoir non plus, non.
Mais lui, il peut en déduire,
il en déduit certainement,
que sa vie ne vous intéresse pas
55 ou si vous préférez – je ne voudrais pas avoir l'air de vous faire un mauvais procès [1] –, il croit probablement,
je pense qu'il est ainsi
et que vous devez vous en souvenir, il ne devait pas être différent plus jeune,
60 il croit probablement que ce qu'il fait n'est pas intéressant ou susceptible, le mot exact, ou susceptible de vous intéresser.

---

1. ***De vous faire un mauvais procès*** : de vous critiquer à tort, de vous chercher des ennuis.

Et ce n'est pas être méchante
(méchant, peut-être ?)
et ce n'est pas être méchant, oui,
65 que de penser qu'il n'a pas totalement tort,
vous ne croyez pas ? ou je me trompe ? Je suis en train de me tromper ?

LOUIS. – Ce n'est pas être méchant, en effet,
c'est plus juste.
70 Je souhaite, quant à moi, ce que je souhaitais,
je serais heureux de pouvoir…

CATHERINE. – Ne me dites rien, je vous interromps,
il est bien préférable que vous ne me disiez rien et que vous lui disiez à lui ce que vous avez à lui dire.
75 Je pense que c'est mieux et vous n'y verrez pas d'inconvénient.
Moi, je ne compte pas et je ne rapporterai rien,
je suis ainsi
ce n'est pas mon rôle
80 ou pas comme ça, du moins, que je l'imagine.

Vous voici, à votre tour,
comment est-ce que vous avez dit ?
« prévenu contre moi ».

LOUIS. – Je n'ai rien à dire ou ne pas dire, je ne vois pas.

85 CATHERINE. – Très bien, parfait alors, à plus forte raison.

LOUIS. – Revenez ! Catherine !

Scène 7

SUZANNE. – Cette fille-là, on ne croit pas, la première fois où on la regarde,
on la suppose fragile et démunie [1], tuberculeuse [2] ou orpheline depuis cinq générations,
5 mais on se trompe,
il ne faut pas s'y fier :
elle sait choisir et décider,
elle est simple, claire, précise.
Elle énonce [3] bien.

10 LOUIS. – Toujours comme ça, toi, Suzanne ?

SUZANNE. – Moi ?

LOUIS. – Oui. « Comme ça. » Donnant « ton avis » ?

SUZANNE. – Non, à vrai dire,
de moins en moins.
15 Aujourd'hui, un peu, mais presque plus.
Dernière salve [4] en ton honneur, juste pour te donner des regrets.
Oui ?
Pardon ?

20 LOUIS. – Quoi ?

SUZANNE. – En général, à l'ordinaire, Antoine, à ce moment-là, Antoine me dit :

---

1. ***Démunie*** : sans défense, vulnérable.
2. ***Tuberculeuse*** : qui souffre de tuberculose (maladie affectant principalement les poumons) ; par extension, qui est dotée d'une mauvaise santé.
3. ***Énonce*** : s'exprime, parle.
4. ***Salve*** : décharge simultanée de plusieurs armes à feu ; lors de certaines commémorations officielles, on tire une salve en l'honneur d'un héros ou pour célébrer un événement.

« Ta gueule, Suzanne. »

LOUIS. – Excuse-moi, je ne savais pas.

25 « Ta gueule, Suzanne. »

Scène 8

LA MÈRE. – Cela ne me regarde pas,
je me mêle souvent de ce qui ne me regarde pas, je ne change pas, j'ai toujours été ainsi.
Ils veulent te parler, tout ça,
5 je les ai entendus
mais aussi je les connais,
je sais,
comment est-ce que je ne saurais pas ?
Je n'aurais pas entendu, je pourrais plus simplement encore
10 deviner,
je devinerais de moi-même, cela reviendrait au même.
Ils veulent te parler,
ils ont su que tu revenais et ils ont pensé qu'ils pourraient te parler,
15 un certain nombre de choses à te dire depuis longtemps et la possibilité enfin.

Ils voudront t'expliquer mais ils t'expliqueront mal,
car ils ne te connaissent pas, ou mal.
Suzanne ne sait pas qui tu es,
20 ce n'est pas connaître, cela, c'est imaginer,
toujours elle imagine et ne sait rien de la réalité,
et lui, Antoine,
Antoine, c'est différent,
il te connaît mais à sa manière comme tout et tout le monde,
25 comme il connaît chaque chose ou comme il veut la connaître,

s'en faisant une idée et ne voulant plus en démordre [1].

Ils voudront t'expliquer
et il est probable qu'ils le feront
30 et maladroitement,
ce que je veux dire,
car ils auront peur du peu de temps que tu leur donnes,
du peu de temps que vous passerez ensemble
– moi non plus, je ne me fais pas d'illusion, moi aussi je me
35 doute que tu ne vas pas traîner très longtemps auprès de nous, dans ce coin-ci.
Tu étais à peine arrivé,
je t'ai vu,
tu étais à peine arrivé tu pensais déjà que tu avais commis
40 une erreur et tu aurais voulu aussitôt repartir,
ne me dis rien, ne me dis pas le contraire – ils auront peur
(c'est la peur, là aussi)
ils auront peur du peu de temps et ils s'y prendront maladroitement,
45 et cela sera mal dit ou dit trop vite,
d'une manière trop abrupte [2], ce qui revient au même,
et brutalement encore,
car ils sont brutaux, l'ont toujours été et ne cessent de le devenir,
50 et durs aussi,
c'est leur manière,
et tu ne comprendras pas, je sais comment cela se passera
et s'est toujours passé.
Tu répondras à peine deux ou trois mots
55 et tu resteras calme comme tu appris à l'être par toi-même
– ce n'est pas moi ou ton père,

---

1. ***Ne voulant plus en démordre*** : s'obstinant, s'entêtant dans son opinion.
2. ***Trop abrupte*** : qui manque de douceur et de nuance.

ton père encore moins,
ce n'est pas nous qui t'avons appris cette façon si habile et détestable d'être paisible en toutes circonstances, je ne m'en
60 souviens pas
ou je ne suis pas responsable –
tu répondras à peine deux ou trois mots,
ou tu souriras, la même chose,
tu leur souriras
65 et ils ne se souviendront, plus tard,
ensuite, par la suite,
le soir en s'endormant,
ils ne se souviendront que de ce sourire,
c'est la seule réponse qu'ils voudront garder de toi,
70 et c'est ce sourire qu'ils ressasseront [1] et ressasseront encore,
rien ne sera changé, bien au contraire,
et ce sourire aura aggravé les choses entre vous,
ce sera comme la trace du mépris [2], la pire des plaies.

Elle, Suzanne, sera triste à cause de ces deux ou trois mots,
75 à cause de « ces juste deux ou trois mots » jetés en pâture [3],
ou à cause de ce sourire que j'ai dit,
et à cause de ce sourire,
ou de ces « juste deux ou trois mots »,
Antoine sera plus dur encore,
80 et plus brutal,
lorsqu'il devra parler de toi,
ou silencieux et refusant d'ouvrir la bouche,
ce qui sera plus mal encore.

Suzanne voudrait partir,
85 elle l'a déjà dit peut-être,

---

1. ***Qu'ils ressasseront*** : qu'ils se répéteront sans cesse ; qu'ils verront en boucle dans leur tête.
2. ***Mépris*** : désintérêt, dédain.
3. ***Jetés en pâture*** : lancés pour que quelqu'un s'en saisisse avec satisfaction.

aller loin et vivre une autre vie
(ce qu'elle croit)
dans un autre monde, ces histoires-là.
Rien de bien différent, si on s'en souvient
90 (je m'en souviens)
rien de bien différent de toi, plus jeune qu'elle
et rien de moins grave encore.
Le même abandon.
Lui, Antoine, il voudrait plus de liberté, je ne sais pas,
95 le mot qu'il emploie lorsqu'il est en colère
– on ne croirait pas à le voir mais souvent il est un homme en colère –
il voudrait pouvoir vivre autrement avec sa femme et ses enfants
100 et ne plus rien devoir,
autre idée qui lui tient à cœur et qu'il répète,
ne plus rien devoir.
À qui, à quoi ? Je ne sais pas, c'est une phrase qu'il dit parfois, de temps à autre,
105 « ne plus rien devoir ».
Bon. Je l'écoute. Tout ça et rien de plus.

Et c'est à toi qu'ils veulent demander cela,
c'est à toi qu'ils semblent vouloir demander l'autorisation,
c'est une idée étrange
110 et tu te dis que tu ne comprends pas,
que tu ne leur dois rien
et qu'ils ne te doivent rien
et qu'ils peuvent faire ce qu'ils veulent de leur vie,
cela, d'une certaine manière
115 et ce n'est pas te faire injure [1],
cela t'est bien égal et ne te concerne pas.

---

1. ***Te faire injure*** : te faire du tort, t'offenser.

Tu n'as peut-être pas tort,
il y a trop de temps passé (toute l'histoire vient de là),
tu ne voulus jamais être responsable et on ne saurait jamais
120 t'y obliger.
(Tu te dis peut-être aussi, je ne sais pas,
je parle,
tu te dis peut-être aussi que je me trompe,
que j'invente,
125 et qu'ils n'ont rien à te dire
et que la journée se terminera ainsi comme elle a commencé,
sans nécessité, sans importance. Bien. Peut-être.)

Ce qu'ils veulent, ce qu'ils voudraient, c'est que tu les encourages peut-être
130 – est-ce qu'ils ne manquèrent pas toujours de ça, qu'on les encourage ? –
que tu les encourages, que tu les autorises ou que tu leur interdises de faire telle ou telle chose,
que tu leur dises,
135 que tu dises à Suzanne
– même si ce n'est pas vrai, un mensonge qu'est-ce que ça fait ? Juste une promesse qu'on fait en sachant par avance qu'on ne la tiendra pas –
que tu dises à Suzanne de venir, parfois,
140 deux ou trois fois l'an,
te rendre visite,
qu'elle pourra,
qu'elle pourrait te rendre visite, si l'envie lui vient,
si l'envie la prenait,
145 qu'elle pourrait aller là où tu vis maintenant
(nous ne savons pas où tu vis).
Qu'elle peut bouger et partir et revenir encore et que tu t'y intéresses,
non que tu parais t'y intéresser mais que tu t'y intéresses,
150 que tu t'en soucies.

Que tu lui donnes à lui,
Antoine,
le sentiment qu'il n'est plus responsable de nous,
d'elle ou de moi
155 – il ne l'a jamais été,
je sais cela mieux que quiconque,
mais il a toujours cru qu'il l'était,
il a toujours voulu le croire
et c'était toujours ainsi, toutes ces années,
160 il se voulait responsable de moi et responsable de Suzanne
et rien ne lui semble autant un devoir dans sa vie
et une douleur aussi et une sorte de crime pour voler un rôle
qui n'est pas le sien –
que tu lui donnes le sentiment,
165 l'illusion,
que tu lui donnes l'illusion qu'il pourrait à son tour, à son heure, m'abandonner,
commettre [1] une lâcheté comme celle-là
(à ses yeux, j'en suis certaine, c'en est une),
170 qu'il aurait le droit, qu'il en est capable.
Il ne le fera pas,
il se construira d'autres embûches [2]
ou il se l'interdira pour des raisons plus secrètes encore
mais il aimerait tellement l'imaginer, oser l'imaginer.
175 C'est un garçon qui imagine si peu, cela me fait souffrir.

Ils voudraient tous les deux que tu sois plus là,
plus présent,
plus souvent présent,
qu'ils puissent te joindre, t'appeler,
180 se quereller avec toi et se réconcilier et perdre le respect,

---

1. ***Commettre*** : voir note 2, p. 51.
2. ***Embûches*** : pièges, obstacles.

ce fameux respect obligé pour les frères aînés,
absents ou étranges.
Tu serais un peu responsable
et ils deviendraient à leur tour,
185 ils en auraient le droit et pourraient en abuser,
ils deviendraient à leur tour enfin des tricheurs à part entière.

Petit sourire ?
Juste « ces deux ou trois mots » ?

LOUIS. – Non.
190 Juste le petit sourire. J'écoutais.

LA MÈRE. – C'est ce que je dis.
Tu as quel âge,
quel âge est-ce que tu as, aujourd'hui ?

LOUIS. – Moi ?
195 Tu demandes ?
J'ai trente-quatre ans.

LA MÈRE. – Trente-quatre années.
Pour moi aussi, cela fait trente-quatre années.
Je ne me rends pas compte :
200 c'est beaucoup de temps ?

Scène 9

LA MÈRE. – C'est l'après-midi, toujours été ainsi :
le repas dure plus longtemps,
on n'a rien à faire, on étend ses jambes.

CATHERINE. – Vous voulez encore du café ?

5 SUZANNE. – Tu vas le vouvoyez toute la vie, ils vont se vouvoyez toujours ?

ANTOINE. – Suzanne, ils font comme ils veulent !

SUZANNE. – Mais merde, toi, à la fin !
Je ne te cause pas, je ne te parle pas, ce n'est pas à toi que
10 je parle !
Il a fini de s'occuper de moi, comme ça, tout le temps,
tu ne vas pas t'occuper de moi tout le temps,
je ne te demande rien,
qu'est-ce que j'ai dit ?

15 ANTOINE. – Comment est-ce que tu me parles ?
Tu me parles comme ça,
jamais je ne t'ai entendue.
Elle veut avoir l'air,
c'est parce que Louis est là, c'est parce que tu es là,
20 tu es là et elle veut avoir l'air.

SUZANNE. – Qu'est-ce que ça a à voir avec Louis,
qu'est-ce que tu racontes ?
Ce n'est pas parce que Louis est là,
qu'est-ce que tu dis ?
25 Merde, merde et merde encore !
Compris ? Entendu ? Saisi ?
Et bras d'honneur [1] si nécessaire ! Voilà, bras d'honneur !

LA MÈRE. – Suzanne !
Ne la laisse pas partir,
30 qu'est-ce que c'est que ces histoires ?
Tu devrais la rattraper !

ANTOINE. – Elle reviendra.

LOUIS. – Oui, je veux bien, un peu de café, je veux bien.

ANTOINE. – « Oui, je veux bien, un peu de café, je veux bien. »

35 CATHERINE. – Antoine !

ANTOINE. – Quoi ?

---

1. ***Bras d'honneur*** : geste vulgaire qui exprime la désapprobation.

LOUIS. – Tu te payais ma tête, tu essayais.

ANTOINE. – Tous les mêmes, vous êtes tous les mêmes !
Suzanne !

40 CATHERINE. – Antoine ! Où est-ce que tu vas ?

LA MÈRE. – Ils reviendront.
Ils reviennent toujours.

Je suis contente, je ne l'ai pas dit, je suis contente que nous soyons tous là, tous réunis.
45 Où est-ce que tu vas ?
Louis !

Catherine reste seule.

Scène 10

LOUIS. – Au début, ce que l'on croit
– j'ai cru cela –
ce qu'on croit toujours, je l'imagine,
c'est rassurant, c'est pour avoir moins peur,
5 on se répète à soi-même cette solution comme aux enfants qu'on endort,
ce qu'on croit un instant,
on l'espère,
c'est que le reste du monde disparaîtra avec soi,
10 que le reste du monde pourrait disparaître avec soi,
s'éteindre, s'engloutir et ne plus me survivre.
Tous partir avec moi et m'accompagner et ne plus jamais revenir.
Que je les emporte et que je ne sois pas seul.

15 Ensuite, mais c'est plus tard
– l'ironie est revenue, elle me rassure et me conduit à nouveau –
ensuite on songe, je songeai,
on songe à voir les autres, le reste du monde, après la mort.
20 On les jugera.
On les imagine à la parade [1], on les regarde,
ils sont à nous maintenant, on les observe et on ne les aime pas beaucoup,
les aimer trop rendrait triste et amer et ce ne doit pas être
25 la règle.
On les devine par avance,
on s'amuse, je m'amusais,
on les organise et on fait et refait l'ordre de leurs vies.
On se voit aussi, allongé, les regardant des nuages, je ne sais
30 pas, comme dans les livres d'enfants, c'est une idée que j'ai.
Que feront-ils de moi lorsque je ne serai plus là ?
On voudrait commander, régir [2], profiter médiocrement de leur désarroi [3] et les mener encore un peu.
On voudrait les entendre, je ne les entends pas,
35 leur faire dire des bêtises définitives
et savoir enfin ce qu'ils pensent.
On pleure.
On est bien.
Je suis bien.

40 Parfois, c'est comme un sursaut,
parfois, je m'agrippe encore, je deviens haineux,
haineux et enragé,
je fais les comptes, je me souviens.
Je mords, il m'arrive de mordre.

---

1. ***À la parade*** : défilant, exhibés sous nos yeux.
2. ***Régir*** : diriger, conduire.
3. ***Désarroi*** : trouble émotionnel, chagrin.

45 Ce que j'avais pardonné je le reprends,
un noyé qui tuerait ses sauveteurs, je leur plonge la tête dans la rivière,
je vous détruis sans regret avec férocité [1].
Je dis du mal.
50 Je suis dans mon lit, c'est la nuit, et parce que j'ai peur,
je ne saurais m'endormir,
je vomis la haine.
Elle m'apaise et m'épuise
et cet épuisement me laissera disparaître enfin.
55 Demain, je suis calme à nouveau, lent et pâle.
Je vous tue les uns après les autres, vous ne le savez pas
et je suis l'unique survivant,
je mourrai le dernier.
Je suis un meurtrier et les meurtriers ne meurent pas,
60 il faudra m'abattre.
Je pense du mal.
Je n'aime personne,
je ne vous ai jamais aimés, c'était des mensonges,
je n'aime personne et je suis solitaire,
65 et solitaire, je ne risque rien,
je décide de tout,
la Mort aussi, elle est ma décision
et mourir vous abîme et c'est vous abîmer que je veux.
Je meurs par dépit [2], je meurs par méchanceté et mesquinerie [3],
70 je me sacrifie.
Vous souffrirez plus longtemps et plus durement que moi
et je vous verrai, je vous devine, je vous regarderai
et je rirai de vous et haïrai vos douleurs.

---

1. ***Férocité*** : cruauté, méchanceté.

2. ***Dépit*** : amertume due à une déception.

3. ***Mesquinerie*** : bassesse, manque de grandeur d'âme.

75 Pourquoi la Mort devrait-elle me rendre bon ?
C'est une idée de vivant inquiet de mes possibles égarements [1].
Mauvais et médiocre, je n'ai plus que de minuscules craintes et infimes [2] soucis,
80 rien de pire :
que ferez-vous de moi et de toutes ces choses qui m'appartenaient ?
Ce n'est pas beau mais ne pas être beau me laissera moins regrettable.

85 Plus tard encore,
c'est il y a quelques mois,
je me suis enfui.
Je visite le monde, je veux devenir voyageur, errer.
Tous les agonisants [3] ont ces prétentions, se fracasser la tête
90 contre les vitres de la chambre,
donner de grands coups d'aile imbéciles,
errer, perdu déjà et
croire disparaître,
courir devant la Mort,
95 prétendre la semer,
qu'elle ne puisse jamais m'atteindre ou qu'elle ne sache jamais où me retrouver.
Là où j'étais et fus toujours, je ne serai plus, je serai loin,
caché dans les grands espaces, dans un trou,
100 à me mentir et ricaner.
Je visite.
J'aime être dilettante [4], un jeune homme faussement fragile

---

1. ***Mes [...] égarements*** : ma perte temporaire de contrôle, ma folie passagère.
2. ***Infimes*** : voir note 1, p. 74.
3. ***Agonisants*** : mourants.
4. ***Être dilettante*** : vivre selon mes goûts et ma fantaisie.

qui s'étiole [1] et prend des poses.
Je suis un étranger. Je me protège. J'ai les mines de circonstance.
Il aurait fallu me voir, avec mon secret, dans la salle d'attente des aéroports, j'étais convaincant !
La Mort prochaine et moi,
nous faisons nos adieux,
nous nous promenons,
nous marchons la nuit dans les rues désertes légèrement embrumées et nous nous plaisons beaucoup.
Nous sommes élégants et désinvoltes [2],
nous sommes assez joliment mystérieux,
nous ne laissons rien deviner
et les réceptionnistes, la nuit, éprouvent du respect pour nous, nous pourrions les séduire.
Je ne faisais rien,
je faisais semblant,
j'éprouvais la nostalgie.
Je découvre des pays, je les aime littéraires, je lis des livres,
je revois quelques souvenirs,
je fais parfois de longs détours pour juste recommencer,
et d'autres jours,
sans que je sache ou comprenne,
il m'arrivait de vouloir tout éviter et ne plus reconnaître.
Je ne crois en rien.

Mais lorsqu'un soir,
sur le quai de la gare
(c'est une image assez convenue),
dans une chambre d'hôtel,
celui-là « Hôtel d'Angleterre, Neuchâtel, Suisse » ou un autre,
« Hôtel du Roi de Sicile », cela m'est bien égal,

1. ***S'étiole*** : perd peu à peu sa vitalité, dépérit.
2. ***Désinvolte*s** : légers, décontractés.

ou dans la seconde salle à manger d'un restaurant plein de
135 joyeux fêtards où je dînais seul dans l'indifférence [1] et le bruit, on vint doucement me tapoter l'épaule en me disant avec un gentil sourire triste de gamin égaré [2] :
« À quoi bon ? »
ce « à quoi bon »
140 rabatteur de la Mort [3]
– elle m'avait enfin retrouvé sans m'avoir cherché –,
ce « à quoi bon » me ramena à la maison, m'y renvoya,
m'encourageant à revenir de mes dérisoires et vaines escapades [4]
145 et m'ordonnant désormais de cesser de jouer.
Il est temps.

Je traverse à nouveau le paysage en sens inverse.
Chaque lieu, même le plus laid ou le plus idiot,
je veux noter que je le vois pour la dernière fois,
150 je prétends le retenir.
Je reviens et j'attends.
Je me tiendrai tranquille, maintenant, je promets,
je ne ferai plus d'histoires,
digne et silencieux, ces mots qu'on emploie.
155 Je perds. J'ai perdu.
Je range, je mets de l'ordre, je viens ici rendre visite, je laisse les choses en l'état, j'essaie de terminer, de tirer des conclusions, d'être paisible.

---

1. ***Dans l'indifférence*** : sans que l'on ne me prête attention.
2. ***Égaré*** : perdu.
3. ***Rabatteur*** : personne chargée de ramener le gibier dans une certaine direction, pour que les chasseurs puissent l'abattre ; ici, selon une représentation traditionnelle, c'est la Mort personnifiée qui chasse ses prochaines victimes.
4. ***De mes dérisoires et vaines escapades*** : de mes échappées, de mes voyages qui se révèlent insignifiants et inutiles, car ils ne me permettront pas d'éviter la mort.

Je ne gesticule plus et j'émets des sentences [1] symboliques
160 pleines de sous-entendus gratifiants [2].
Je me complais [3].
Rien ne me flatte autant, désormais, que ma propre angoisse.
Il m'arrivait aussi parfois,
« les derniers temps »,
165 de me sourire à moi-même comme pour une photographie à venir.
Vos doigts se la repassent en prenant garde de ne pas la salir ou d'y laisser de coupables empreintes.
« Il était exactement ainsi »
170 et c'est tellement faux,
si vous réfléchissiez un instant vous pourriez l'admettre,
c'était tellement faux,
je faisais juste mine de.

Scène 11

LOUIS. – Je ne suis pas arrivé ce matin, j'ai voyagé cette nuit,
je suis parti hier soir et je voulais arriver plus tôt et j'ai renoncé en cours de route,
je me suis arrêté,
5 ce que je voulais dire,
et j'étais à la gare, ce matin,
dès trois ou quatre heures.
J'attendais le moment décent [4] pour venir ici.

---

1. ***Sentences*** : vérités générales, phrases courtes contenant souvent une moralité.
2. ***Gratifiants*** : qui procurent de la satisfaction.
3. ***Je me complais*** : j'en éprouve du plaisir, de la satisfaction.
4. ***Décent*** : approprié, conforme aux convenances.

ANTOINE. – Pourquoi est-ce que tu me racontes ça ?
10 Pourquoi est-ce que tu me dis ça ?
Qu'est-ce que je dois répondre,
je dois répondre quelque chose ?

LOUIS. – Je ne sais pas, non,
je te dis ça, je voulais que tu le saches,
15 ce n'est pas important,
je te le dis parce que c'est vrai et je voulais te le dire.

ANTOINE. – Ne commence pas.

LOUIS. – Quoi ?

ANTOINE. – Tu sais. Ne commence pas,
20 tu voudras me raconter des histoires,
je vais me perdre,
je te vois assez bien, tu vas me raconter des histoires.
Tu étais à la gare, tu attendais,
et peu à peu, tu vas me noyer.
25 Bon.
Tu as voyagé cette nuit, c'était bien ? Comment est-ce que c'était ?

LOUIS. – Non, je disais cela, c'est sans importance.
Oui, c'était bien.
30 Je ne sais pas, un voyage assez banal, vous semblez toujours vouloir croire que j'habite à des milliers, centaines, milliers de kilomètres.
J'ai voyagé, c'est tout.
Je ne dis rien si tu ne veux rien dire.

35 ANTOINE. – Ce n'est pas le problème,
je n'ai rien dit, je t'écoute.
Tout de suite, aussitôt, je ne t'empêchais pas.
Oui ?
La gare ?

40 LOUIS. – Non, rien, rien qui vaille la peine,
rien d'essentiel,
je disais cela, je pensais que peut-être tu aurais été heureux,
bon,
pas heureux, content,
45 je pensais que tu aurais pu être content que je te le dise,
ou de le savoir, heureux de le savoir.
J'étais au buffet de la gare,
Je ne sais pas à quelle heure je suis arrivé, vers quatre heures peut-être,
50 j'étais au buffet et j'attendais, j'étais là, je n'allais pas venir directement ici,
manquer si longtemps et débarquer ainsi à l'improviste,
non, elles auraient pu avoir peur,
ou encore elles ne m'auraient pas ouvert
55 – j'imagine assez Suzanne, là, comme je la vois, je la découvre, j'imagine assez Suzanne me recevant avec une carabine [1] –
non,
j'attendais et je me suis dit,
60 j'y pensais et c'est pour ça que j'en ai parlé,
ce sont des idées qui traversent la tête et on se dit plus tard qu'on devra les répéter (des recommandations [2] qu'on se fait),
je me suis dit,
65 je me suis fait la recommandation donc de te le dire plus tard lorsque je te verrais,
et aussi oui, de ne le dire qu'à toi, surtout, c'est bien le but,
leur cacher car elles pourraient être fâchées,
je me suis dit que je te dirais que j'étais arrivé beaucoup plus
70 tôt et que j'avais traîné un peu.

1. ***Carabine*** : arme à feu, ressemblant à un fusil.
2. ***Recommandations*** : conseils, avis.

ANTOINE. – C'est cela,
c'est exactement cela, ce que je disais,
les histoires,
et après on se noie
75 et moi,
il faut que j'écoute et je ne saurai jamais ce qui est vrai et ce qui est faux,
la part du mensonge.
Tu es comme ça,
80 s'il y a bien une chose
(non, ce n'est pas la seule !),
s'il y a bien une chose que je n'ai pas oubliée en songeant à toi,
c'est tout cela, ces histoires pour rien,
85 des histoires, je ne comprends rien.

Tu ne disais rien.
Tu buvais ton café, tu devais boire un café
et tu avais mal au ventre parce que tu ne fumes pas et que les endroits comme celui-là, tôt le matin,
90 je le sais mieux que toi,
les endroits comme celui-là puent la fumée et donnent envie de dégueuler[1],
avec la fumée qui te descend dessus et te donne mal à la tête et aux yeux.
95 Tu lisais le journal,
tu dois être devenu ce genre d'hommes qui lisent les journaux, des journaux que je ne lis jamais
– parfois, assis en face de moi, je vois des hommes qui lisent ces journaux et je pense à toi et je me dis, voilà les journaux
100 que doit lire mon frère, il doit ressembler à ces hommes-là, et j'essaie de lire à l'envers et puis aussitôt j'abandonne et je m'en fiche, je fais comme je veux ! –

1. ***Dégueuler*** : en langage très familier, vomir.

tu essayais de lire le journal
parce que, le dimanche matin, au buffet de la gare,
105 tu as tous les gosses qui sont allés faire la fête
et ils font du bruit et ils continuent à s'amuser
et toi, dans ton coin,
tu ne peux même pas lire, te concentrer sur ta lecture
et la fumée des cigarettes te donne juste envie de repartir,
110 c'est à cela que tu penses, point.
Tu regrettais,
tu regrettes d'avoir fait ce voyage-là,
tu ne regrettes pas, tu ne sais pas pourquoi tu es venu, tu n'en connais pas la raison.
115 Moi non plus, je ne sais pas pourquoi tu es venu
et personne ne comprend,
et tu veux regretter qu'on ne sache pas,
parce que si nous savions, si je savais,
les choses te seraient plus faciles, moins longues
120 et tu serais déjà débarrassé de cette corvée [1].

Tu es venu parce que tu l'as décidé,
cela t'a pris un jour,
l'idée, juste une idée.
Comment est-ce que tu as dit ?
125 Une « recommandation » que tu t'es fait, faite ? merde,
ou encore, depuis de nombreuses années,
est-ce que je sais, comment est-ce que je pourrais savoir ?
peut-être depuis le premier jour,
à peine parti, dans le train, ou dès le lendemain, aussitôt
130 – toujours été comme ça à regretter tout et son contraire –
depuis de nombreuses années maintenant, tu te disais,
tu ne cessais de te le répéter,
tu te disais que tu devrais bien un jour revenir nous rendre visite,

1. ***Corvée*** : tâche désagréable que l'on ne peut éviter.

135 nous voir, nous revoir,
et là, subitement, tu t'es décidé, je ne sais pas.
Tu crois que c'est important pour moi ?
Tu te trompes, ce n'est pas important pour moi, cela ne peut plus l'être.

140 Tu ne te disais rien, je sais, je te vois.
Tu ne te disais rien,
tu ne pensais pas que tu me dirais quelque chose,
que tu me dirais quoi que ce soit,
ce sont des sottises, tu inventes.
145 C'est là, à l'instant,
tu m'as vu,
et tu as inventé tout ça pour me parler.
Tu ne te disais rien parce que tu ne me connais pas,
tu crois me connaître mais tu ne me connais pas,
150 tu me connaîtrais parce que je suis ton frère ?
Ce sont aussi des sottises,
tu ne me connais plus, il y a longtemps que tu ne me connais plus,
tu ne sais pas qui je suis,
155 tu ne l'as jamais su,
ce n'est pas de ta faute et ce n'est pas de la mienne non plus,
moi non plus, je ne te connais pas
(mais moi, je ne prétends rien),
on ne se connaît pas
160 et on ne s'imagine pas qu'on dira telle ou telle chose à quelqu'un qu'on ne connaît pas.
Ce qu'on veut dire à quelqu'un qu'on imagine,
on l'imagine aussi,
des histoires et rien d'autre.

165 Ce que tu veux, ce que tu voulais,
tu m'as vu et tu ne sais pas comment m'attraper,
« comment me prendre »

– vous dites toujours ça, « on ne sait pas comment le prendre »
170 et aussi, je vous entends, « il faut savoir le prendre », comme on le dit d'un homme méchant et brutal –
tu voulais m'attraper et tu as jeté ça,
tu entames la conversation, tu sais bien faire,
c'est une méthode, c'est juste une technique pour noyer et
175 tuer les animaux,
mais moi, je ne veux pas,
je n'ai pas envie.
Pourquoi tu es là, je ne veux pas le savoir,
tu as le droit, c'est tout et rien de plus,
180 et ne pas être là, tu as le droit également,
c'est pareil pour moi.
Ici, d'une certaine manière, c'est chez toi et tu peux y être chaque fois que tu le souhaites et encore, tu peux en partir,
toujours le droit,
185 cela ne me concerne pas.
Tout n'est pas exceptionnel dans ta vie,
dans ta petite vie,
c'est une petite vie aussi, je ne dois pas avoir peur de ça,
tout n'est pas exceptionnel,
190 tu peux essayer de rendre tout exceptionnel
mais tout ne l'est pas.

LOUIS. – Où est-ce que tu vas ?

ANTOINE. – Je ne veux pas être là.
Tu vas me parler maintenant,
195 tu voudras me parler
et il faudra que j'écoute
et je n'ai pas envie d'écouter.
Je ne veux pas. J'ai peur.
Il faut toujours que vous me racontiez tout,
200 toujours, tout le temps,

depuis toujours vous me parlez et je dois écouter.
Les gens qui ne disent jamais rien, on croit juste qu'ils veulent entendre,
mais souvent, tu ne sais pas,
205 je me taisais pour donner l'exemple.

Catherine !

Intermède

Scène 1

LOUIS. – C'est comme la nuit en pleine journée, on ne voit rien, j'entends juste les bruits, j'écoute, je suis perdu et je ne retrouve personne.

LA MÈRE. – Qu'est-ce que tu as dit ?
5 Je n'ai pas entendu, répète,
où est-ce que tu es ?
Louis !

Scène 2

SUZANNE. – Toi et moi.

ANTOINE. – Ce que tu veux.

SUZANNE. – Je t'entendais, tu criais,
non, j'ai cru que tu criais,
5 je croyais t'entendre,
je te cherchais,
vous vous disputiez, vous vous êtes retrouvés.

ANTOINE. – Je me suis énervé, on s'est énervés,
je ne pensais pas qu'il serait ainsi,
10 mais « à l'ordinaire », les autres jours,
nous ne sommes pas comme ça,
nous n'étions pas comme ça, je ne crois pas.

SUZANNE. – Pas toujours comme ça.
Les autres jours, nous allons chacun de notre côté,

15 on ne se touche pas.

ANTOINE. – Nous nous entendons.

SUZANNE. – C'est l'amour.

Scène 3

LOUIS. – Et ensuite, dans mon rêve encore,
toutes les pièces de la maison étaient loin les unes des autres,
et jamais je ne pouvais les atteindre,
il fallait marcher pendant des heures et je ne reconnaissais
5 rien.

VOIX DE LA MÈRE. – Louis !

LOUIS. – Et pour ne pas avoir peur, comme lorsque je marche dans la nuit, je suis enfant,
et il faut maintenant que je revienne très vite,
10 je me répète cela,
ou bien plutôt je me le chantonne pour entendre juste le son de ma voix,
et plus rien que cela,
je me chantonne que désormais,
15 la pire des choses,
« je le sais bien,
la pire des choses,
serait que je sois amoureux,
la pire des choses,
20 que je veuille attendre un peu,
la pire des choses… »

Scène 4

SUZANNE. – Ce que je ne comprends pas.

ANTOINE. – Moi non plus.

SUZANNE. – Tu ris ? Je ne te vois jamais rire.

ANTOINE. – Ce que nous ne comprenons pas.

5 VOIX DE CATHERINE. – Antoine !

SUZANNE, *criant*. – Oui ?
Ce que je ne comprends et n'ai jamais compris

ANTOINE. – Et peu probable que je comprenne jamais

SUZANNE. – Que je ne comprenne jamais.

10 VOIX DE LA MÈRE. – Louis !

SUZANNE, *criant*. – Oui ? On est là !

ANTOINE. – Ce que tu ne comprends pas…

SUZANNE. – Ce n'était pas si loin, il aurait pu venir nous voir plus souvent,
15 et rien de bien tragique non plus,
pas de drames, des trahisons,
cela que je ne comprends pas,
ou ne peux pas comprendre.

ANTOINE. – « Comme ça. »
20 Pas d'autre explication, rien de plus.
Toujours été ainsi, désirable,
je ne sais pas si on peut dire ça,
désirable et lointain,
distant, rien qui se prête mieux à la situation.
25 Parti et n'ayant jamais éprouvé le besoin ou la simple nécessité.

Scène 5

CATHERINE. – Où est-ce qu'ils sont ?

LOUIS. – Qui ?

CATHERINE. – Eux, les autres.
Je n'entends plus personne,
5 vous vous disputiez, Antoine et vous,
je ne me trompe pas,
on entendait Antoine s'énerver
et c'est maintenant comme si tout le monde était parti
et que nous soyons perdus.

10 LOUIS. – Je ne sais pas. Ils doivent être par là.

CATHERINE. – Où est-ce que vous allez ?
Antoine !

VOIX DE SUZANNE. – Oui ?

Scène 6

SUZANNE. – Et que je sois malheureuse ?
Que je puisse être triste et malheureuse ?

ANTOINE. – Mais tu ne l'es pas et ne l'as jamais été.
C'est lui, l'Homme malheureux,
5 celui-là qui ne te voyait plus pendant toutes ces années.
Tu crois aujourd'hui que tu étais malheureuse
mais vous êtes semblables,
lui et toi,
et moi aussi je suis comme vous,
10 tu as seulement décidé que tu l'étais, que tu devais l'être
et tu as voulu le croire.
Tu voulais être malheureuse parce qu'il était loin,

mais ce n'est pas la raison, ce n'est pas une bonne raison,
tu ne peux le rendre responsable,
15 pas une raison du tout,
c'est juste un arrangement.

Scène 7

LA MÈRE. – Je vous cherchais.

CATHERINE. – Je n'ai pas bougé, je ne vous avais pas entendue.

LA MÈRE. – C'était Louis, j'écoutais, c'était Louis ?

CATHERINE. – Il est parti par là.

5 LA MÈRE. – Louis !

VOIX DE SUZANNE. – Oui ? On est là !

Scène 8

SUZANNE. – Pourquoi est-ce que tu ne réponds jamais quand on t'appelle ?
Elle t'a appelé, Catherine t'a appelé, et parfois, nous aussi,
nous aussi nous t'appelons,
5 mais tu ne réponds jamais
et alors il faut te chercher, on doit te chercher.

ANTOINE. – Vous me retrouvez toujours,
jamais perdu bien longtemps,
n'ai pas le souvenir que vous m'ayez jamais,
10 « au bout du compte »,
que vous m'ayez jamais, définitivement, perdu.
Juste là, tout près, on peut me mettre la main dessus.

SUZANNE. – Tu peux essayer de me rendre plus triste encore,
ou mauvaise, ce qui revient au même,
15 cela ne marche pas.
Toi aussi, tu as de petits arrangements,
je les connais, tu crois que je ne les connais pas ?

ANTOINE. – Ce que je disais :
« retrouvé ».

20 SUZANNE. – Quoi ?
Je n'ai pas compris, c'est malin, ce que tu as dit, qu'est-ce que tu as dit ?
Reviens !

ANTOINE. – Ta gueule, Suzanne !

Elle rit, là, toute seule.

Scène 9

LA MÈRE. – Louis.
Tu ne m'entendais pas ? J'appelais.

LOUIS. – J'étais là. Qu'est-ce qu'il y a ?

LA MÈRE. – Je ne sais pas.
5 Ce n'est rien, je croyais que tu étais parti.

Deuxième partie

Scène 1

LOUIS. – Et plus tard, vers la fin de la journée,
c'est exactement ainsi,
lorsque j'y réfléchis,
que j'avais imaginé les choses,
5 vers la fin de la journée,
sans avoir rien dit de ce qui me tenait à cœur
– c'est juste une idée mais elle n'est pas jouable [1] –
sans avoir jamais osé faire tout ce mal,
je repris la route,
10 je demandai qu'on m'accompagne à la gare,
qu'on me laisse partir.

Je promets qu'il n'y aura plus tout ce temps
avant que je revienne,
je dis des mensonges,
15 je promets d'être là, à nouveau, très bientôt,
des phrases comme ça.

Les semaines, les mois peut-être,
qui suivent,
je téléphone, je donne des nouvelles,
20 j'écoute ce qu'on me raconte, je fais quelques efforts, j'ai
l'amour plein de bonne volonté,
mais c'était juste la dernière fois,
ce que je me dis sans le laisser voir.

Elle, elle me caresse une seule fois la joue,

1. ***Jouable*** : qui peut être tentée ; mais aussi, qui peut être représentée.

25 doucement, comme pour m'expliquer qu'elle me pardonne je ne sais quels crimes,
et ces crimes que je ne me connais pas, je les regrette,
j'en éprouve du remords [1].

Antoine est sur le pas de la porte,
30 il agite les clefs de sa voiture,
il dit plusieurs fois qu'il ne veut en aucun cas me presser,
qu'il ne souhaite pas que je parte,
que jamais il ne me chasse,
mais qu'il est l'heure du départ,
35 et bien que tout cela soit vrai,
il semble vouloir me faire déguerpir [2], c'est l'image qu'il donne,
c'est l'idée que j'emporte.
Il ne me retient pas,
40 et sans le lui dire, j'ose l'en accuser.

C'est de cela que je me venge.
(Un jour, je me suis accordé tous les droits.)

Scène 2

ANTOINE. – Je vais l'accompagner,
je t'accompagne,
ce que nous pouvons faire, ce qu'on pourrait faire,
voilà qui serait pratique,
5 ce qu'on peut faire, c'est te conduire,
t'accompagner en rentrant à la maison,
c'est sur la route, sur le chemin, cela fait faire à peine

1. ***J'en éprouve du remords*** : je regrette d'avoir mal agi.
2. ***Me faire déguerpir*** : me faire partir, me faire fuir.

un léger détour,
et nous t'accompagnons, on te dépose.

10 SUZANNE. – Moi, je peux aussi bien,
vous restez là, nous dînons tous ensemble,
je le conduis, c'est moi qui le conduis,
et je reviens aussitôt.
Mieux encore,
15 mais on ne m'écoute jamais,
et tout est décidé,
mieux encore, il dîne avec nous,
tu peux dîner avec nous
– je ne sais pas pourquoi je me fatigue –
20 et il prend un autre train,
qu'est-ce que cela fait ?
Mieux encore,
je vois que cela ne sert à rien…

Dis quelque chose.

25 LA MÈRE. – Ils font comme ils l'entendent.

LOUIS. – Mieux encore, je dors ici, je passe la nuit, je ne pars que demain,
mieux encore, je déjeune demain à la maison,
mieux encore, je ne travaille plus jamais,
30 je renonce à tout,
j'épouse ma sœur, nous vivons très heureux.

ANTOINE. – Suzanne, j'ai dit que je l'accompagnais,
elle est impossible,
tout est réglé mais elle veut à nouveau tout changer,
35 tu es impossible,
il veut partir ce soir et toi tu répètes toujours les mêmes choses,
il veut partir, il part,

je l'accompagne, on le dépose, c'est sur notre route,
40 cela ne nous gênera pas.

LOUIS. – Cela joint l'utile à l'agréable.

ANTOINE. – C'est cela, voilà, exactement,
comment est-ce qu'on dit ?
« d'une pierre deux coups ».

45 SUZANNE. – Ce que tu peux être désagréable,
je ne comprends pas ça,
tu es désagréable, tu vois comme tu lui parles,
tu es désagréable, ce n'est pas imaginable.

ANTOINE. – Moi ?
50 C'est de moi ?
Je suis désagréable ?

SUZANNE. – Tu ne te rends même pas compte,
tu es désagréable, c'est invraisemblable,
tu ne t'entends pas, tu t'entendrais…

55 ANTOINE. – Qu'est-ce que c'est encore que ça ?
Elle est impossible aujourd'hui, ce que je disais,
je ne sais pas ce qu'elle a après moi,
je ne sais pas ce que tu as après moi,
tu es différente.
60 Si c'est Louis, la présence de Louis,
je ne sais pas, j'essaie de comprendre,
si c'est Louis,
Catherine, je ne sais pas,
je ne disais rien,
65 peut-être que j'ai cessé tout à fait de comprendre,
Catherine, aide-moi,
je ne disais rien,
on règle le départ de Louis,
il veut partir,

70 je l'accompagne, je dis qu'on l'accompagne, je n'ai rien dit de plus,
qu'est-ce que j'ai dit de plus ?
Je n'ai rien dit de désagréable,
pourquoi est-ce que je dirais quelque chose de désagréable,
75 qu'est-ce qu'il y a de désagréable à cela,
y a-t-il quelque chose de désagréable à ce que je dis ?
Louis ! Ce que tu en penses,
j'ai dit quelque chose de désagréable ?

Ne me regardez pas tous comme ça !

80 CATHERINE. – Elle ne te dit rien de mal,
tu es un peu brutal, on ne peut rien te dire,
tu ne te rends pas compte,
parfois tu es un peu brutal,
elle voulait juste te faire remarquer.

85 ANTOINE. – Je suis un peu brutal ?
Pourquoi tu dis ça ?
Non.
Je ne suis pas brutal.
Vous êtes terribles, tous, avec moi.

90 LOUIS. – Non, il n'a pas été brutal, je ne comprends pas
ce que vous voulez dire.

ANTOINE. – Oh, toi, ça va, « la Bonté même » !

CATHERINE. – Antoine.

ANTOINE. – Je n'ai rien, ne me touche pas !
95 Faites comme vous voulez, je ne voulais rien de mal, je ne voulais rien faire de mal,
il faut toujours que je fasse mal,
je disais seulement,
cela me semblait bien, ce que je voulais juste dire
100 – toi, non plus, ne me touche pas ! –

je n'ai rien dit de mal,
je disais juste qu'on pouvait l'accompagner, et là, maintenant,
vous en êtes à me regarder comme une bête curieuse [1],
105 il n'y avait rien de mauvais dans ce que j'ai dit, ce n'est pas bien, ce n'est pas juste, ce n'est pas bien d'oser penser cela,

arrêtez tout le temps de me prendre pour un imbécile !
il fait comme il veut, je ne veux plus rien,
je voulais rendre service, mais je me suis trompé,
110 il dit qu'il veut partir et cela va être de ma faute,
cela va encore être de ma faute,
ce ne peut pas toujours être comme ça,
ce n'est pas une chose juste,
vous ne pouvez pas toujours avoir raison contre moi,
115 cela ne se peut pas,

je disais seulement,
je voulais seulement dire
et ce n'était pas en pensant mal,
je disais seulement,
120 je voulais seulement dire…

LOUIS. – Ne pleure pas.

ANTOINE. – Tu me touches : je te tue.

LA MÈRE. – Laisse-le, Louis,
laisse-le maintenant.

125 CATHERINE. – Je voudrais que vous partiez.
Je vous prie de m'excuser, je ne vous veux aucun mal,
mais vous devriez partir.

LOUIS. – Je crois aussi.

SUZANNE. – Antoine, regarde-moi, Antoine,

---

1. ***Une bête curieuse*** : un animal rare qui attise la curiosité.

130 je ne te voulais rien.

ANTOINE. – Je n'ai rien, je suis désolé,
je suis fatigué, je ne sais plus pourquoi, je suis toujours fatigué,
depuis longtemps, je pense ça, je suis devenu un homme
135 fatigué,
ce n'est pas le travail,
lorsqu'on est fatigué, on croit que c'est le travail, ou les soucis, l'argent, je ne sais pas,
non,
140 je suis fatigué, je ne sais pas dire,
aujourd'hui, je n'ai jamais été autant fatigué de ma vie.

Je ne voulais pas être méchant,
comment est-ce que tu as dit ?
« brutal », je ne voulais pas être brutal,
145 je ne suis pas un homme brutal, ce n'est pas vrai, c'est vous qui imaginez cela, vous ne me regardez pas, vous dites que je suis brutal, mais je ne le suis pas et ne l'ai jamais été,

tu as dit ça et c'était soudain comme si avec toi et avec tout le monde,
150 ça va maintenant, je suis désolé mais ça va maintenant,

c'était soudain comme si avec toi,
à ton égard,
et avec tout le monde,
avec Suzanne aussi
155 et encore avec les enfants, j'étais brutal, comme si on m'accusait d'être un homme mauvais
mais ce n'est pas une chose juste,
ce n'est pas exact.
Lorsqu'on était plus jeunes, lui et moi,
160 Louis, tu dois t'en souvenir,
lui et moi, elle l'a dit, on se battait toujours

et toujours c'est moi qui gagnais, toujours, parce que je suis plus fort, parce que j'étais plus costaud que lui, peut-être, je ne sais pas,

165 ou parce que celui-là,
et c'est sûrement plus juste (j'y pense juste à l'instant, ça me vient en tête)
parce que celui-là se laissait battre, perdait en faisant exprès et se donnait le beau rôle,
170 je ne sais pas,
aujourd'hui cela m'est bien égal,
mais je n'étais pas brutal, là non plus je ne l'étais pas,
je devais juste me défendre,
tout ça, c'est juste pour me défendre.
175 On ne peut pas m'accuser.

Ne lui dis pas de partir, il fait comme il veut, c'est chez lui aussi,
il a le droit, ne lui dis rien.

Je vais bien.

180 Suzanne et moi,
ce n'est pas malin
(ça me fait rire, ris avec moi, ça me fait rire,
ne reste pas comme ça,
Suzanne ?
185 Je n'allais pas le cogner, tu n'as pas à avoir peur, c'est fini)
ce n'est pas malin, Suzanne et moi, nous devrions être toujours ensemble,
on ne devrait jamais se lâcher,
serrer les coudes, comment est-ce qu'on dit ?
190 s'épauler,
on n'est pas trop de deux contre celui-là, tu n'as pas l'air de te rendre compte,
il faut être au moins deux contre celui-là,

je dis ça et ça me fait rire.
195 Toute la journée d'aujourd'hui, tu t'es mise avec lui,
tu ne le connais pas,
il n'est pas mauvais, non
ce n'est pas ce que je dis,
mais tu as tout de même tort,
200 car il n'est pas totalement bon, non plus, tu te trompes
et ce n'est pas malin,
voilà, c'est ça, ce n'est pas malin,
bêtement, de faire front contre moi.

LA MÈRE. – Personne n'est contre toi.

205 ANTOINE. – Oui. Sûrement. C'est possible.

Scène 3

SUZANNE. – Et puis encore, un peu plus tard.

LA MÈRE. – Nous ne bougeons presque plus,
nous sommes toutes les trois, comme absentes,
on les regarde, on se tait.

5 ANTOINE. – Tu dis qu'on ne t'aime pas,
je t'entends dire ça, toujours je t'ai entendu,
je ne garde pas l'idée, à aucun moment de ma vie, que tu n'aies pas dit ça,
à un moment ou un autre,
10 aussi loin que je puisse remonter en arrière, je ne garde pas la trace que tu n'aies fini par dire
– c'est ta manière de conclure si tu es attaqué –
je ne garde pas la trace que tu n'aies fini par dire qu'on ne t'aime pas,
15 qu'on ne t'aimait pas,
que personne, jamais, ne t'aima.

et que c'est de cela que tu souffres.
Tu es enfant, je te l'entends dire
et je pense, je ne sais pas pourquoi, sans que je puisse l'ex-
20 pliquer,
sans que je comprenne vraiment,
je pense,
et pourtant je n'en ai pas la preuve

– ce que je veux dire et tu ne pourrais le nier si tu voulais te
25 souvenir avec moi,
ce que je veux te dire,
tu ne manquais de rien et tu ne subissais rien de ce qu'on
appelle le malheur.
Même l'injustice de la laideur ou de la disgrâce [1] et les humi-
30 liations qu'elles apportent,
Tu ne les as pas connues et tu en fus protégé –

je pense,
je pensais,
que peut-être, sans que je comprenne donc
35 (comme une chose qui me dépassait),
que peut-être, tu n'avais pas tort,
et que en effet, les autres, les parents, moi, le reste du monde,
nous n'étions pas bons avec toi
et nous te faisions du mal.
40 Tu me persuadais,
j'étais convaincu que tu manquais d'amour.
Je te croyais et je te plaignais,
et cette peur que j'éprouvais
– c'est bien, là encore, de la peur qu'il est question –
45 cette peur que j'avais que personne ne t'aime jamais,
cette peur me rendait malheureux à mon tour,
comme toujours les plus jeunes frères se croient obligés de

1. ***Disgrâce*** : manque de charme dans l'allure, désavantage physique.

l'être par imitation et inquiétude,
malheureux à mon tour,
50 mais coupable encore,
coupable aussi de ne pas être assez malheureux,
de ne l'être qu'en me forçant,
coupable de n'y pas croire en silence.

Parfois, eux et moi,
55 et eux tous les deux, les parents, ils en parlaient et devant moi encore,
comme on ose évoquer un secret dont on devait me rendre également responsable.
Nous pensions,
60 et beaucoup de gens, je pense cela aujourd'hui, beaucoup de gens, des hommes et des femmes,
ceux-là avec qui tu dois vivre depuis que tu nous as quittés,
beaucoup de gens doivent assurément le penser aussi,
nous pensions que tu n'avais pas tort,
65 que pour le répéter si souvent, pour le crier tellement comme on crie les insultes, ce devait être juste,
nous pensions que en effet, nous ne t'aimions pas assez,
ou du moins,
que nous ne savions pas te le dire
70 (et ne pas te le dire, cela revient au même, ne pas te dire assez que nous t'aimions, ce doit être comme ne pas t'aimer assez).
On ne se le disait pas si facilement,
rien jamais ici ne se dit facilement,
non,
75 on ne se l'avouait pas,
mais à certains mots, certains gestes, les plus discrets,
les moins remarquables,
à certaines prévenances [1]

1. ***Prévenances*** : attentions portées à autrui, actions d'aller au-devant de ses besoins.

– encore une autre expression qui te fera sourire, mais je n'ai
80 plus rien à faire maintenant d'être ridicule, tu ne peux pas l'imaginer –
à certaines prévenances à ton égard,
nous nous donnions l'ordre, manière de dire,
de prendre plus souvent et mieux encore soin de toi,
85 garde à toi,
et de nous encourager les uns les autres à te donner la preuve que nous t'aimions plus que jamais tu ne sauras t'en rendre compte.

Je cédais.
90 Je devais céder.
Toujours, j'ai dû céder.
Aujourd'hui, ce n'est rien, ce n'était rien, ce sont des choses infimes [1]
et moi non plus je ne pourrais pas prétendre à mon tour,
95 voilà qui serait plaisant,
à un malheur insurmontable,
mais je garde cela surtout en mémoire :
je cédais, je t'abandonnais des parts entières, je devais me montrer, le mot qu'on me répète,
100 je devais me montrer « raisonnable ».
Je devais faire moins de bruit, te laisser la place, ne pas te contrarier
et jouir du spectacle apaisant enfin de ta survie légèrement prolongée.

105 Nous nous surveillions,
on se surveillait, nous nous rendions responsables de ce malheur soi-disant [2].

---

1. ***Infimes*** : voir note 1, p. 74.
2. ***Soi-disant*** : prétendu.

Parce que tout ton malheur ne fut jamais qu'un malheur soi-disant,
110 tu le sais comme moi je le sais,
et celles-là le savent aussi,
et tout le monde aujourd'hui voit ce jeu clairement
(ceux avec qui tu vis, les hommes, les femmes, tu ne me feras pas croire le contraire,
115 ont dû découvrir la supercherie [1], je suis certain de ne pas me tromper),
tout ton soi-disant malheur n'est qu'une façon que tu as, que tu as toujours eue et que tu auras toujours,
– car tu le voudrais, tu ne saurais plus t'en défaire [2], tu es pris
120 à ce rôle –
que tu as et que tu as toujours eue de tricher,
de te protéger et de fuir.

Rien en toi n'est jamais atteint,
il fallait des années peut-être pour que je le sache,
125 mais rien en toi n'est jamais atteint,
tu n'as pas mal
– si tu avais mal, tu ne le dirais pas, j'ai appris cela à mon tour –
et tout ton malheur n'est qu'une façon de répondre,
130 une façon que tu as de répondre,
d'être là devant les autres et de ne pas les laisser entrer.
C'est ta manière à toi, ton allure,
le malheur sur le visage comme d'autres un air de crétinerie satisfaite,
135 tu as choisi ça et cela t'a servi et tu l'as conservé.

Et nous, nous nous sommes fait du mal à notre tour,
chacun n'avait rien à se reprocher

---

1. ***Supercherie*** : tromperie, duperie.
2. ***T'en défaire*** : t'en séparer, l'abandonner.

et ce ne pouvait être que les autres qui te nuisaient et nous rendaient responsables tous ensemble,
140 moi, eux,
et peu à peu, c'était de ma faute, ce ne pouvait être que de ma faute.
On devait m'aimer trop puisque on ne t'aimait pas assez et on voulut me reprendre alors ce qu'on ne me donnait pas,
145 et ne me donna plus rien,
et j'étais là, couvert de bonté sans intérêt à ne jamais devoir me plaindre,
à sourire, à jouer,
à être satisfait, comblé [1],
150 tiens, le mot, comblé,
alors que toi, toujours, inexplicablement, tu suais le malheur dont rien ni personne, malgré tous ces efforts, n'aurait su te distraire et te sauver.

Et lorsque tu es parti, lorsque tu nous as quittés, lorsque tu
155 nous abandonnas,
je ne sais plus quel mot définitif tu nous jetas à la tête,
je dus encore être le responsable,
être silencieux et admettre la fatalité, et te plaindre aussi,
m'inquiéter de toi à distance
160 et ne plus jamais oser dire un mot contre toi, ne plus jamais même oser penser un mot contre toi,
rester là, comme un benêt [2], à t'attendre.

Moi, je suis la personne la plus heureuse de la terre,
et il ne m'arrive jamais rien,
165 et m'arrive-t-il quelque chose que je ne peux me plaindre,
puisque, « à l'ordinaire »,
il ne m'arrive jamais rien.

---

1. ***Comblé*** : dont les désirs sont satisfaits.
2. ***Benêt*** : idiot, niais.

Ce n'est pas pour une seule fois,
une seule petite fois,
170 que je peux lâchement en profiter.
Et les petites fois, elles furent nombreuses, ces petites fois où j'aurais pu me coucher par terre et ne plus jamais bouger, où j'aurais voulu rester dans le noir sans plus jamais répondre,
175 ces petites fois, je les ai accumulées et j'en ai des centaines dans la tête,
et toujours ce n'était rien, au bout du compte,
qu'est-ce que c'était ?
je ne pouvais pas en faire état,
180 je ne saurais pas les dire
et je ne peux rien réclamer,
c'est comme si il ne m'était rien arrivé, jamais.
Et c'est vrai, il ne m'est jamais rien arrivé et je ne peux prétendre.

185 Tu es là, devant moi,
je savais que tu serais ainsi, à m'accuser sans mot,
à te mettre debout devant moi pour m'accuser sans mot,
et je te plains, et j'ai de la pitié pour toi, c'est un vieux mot,
mais j'ai de la pitié pour toi,
190 et de la peur aussi, et de l'inquiétude,
et malgré toute cette colère, j'espère qu'il ne t'arrive rien de mal,
et je me reproche déjà
(tu n'es pas encore parti)
195 le mal aujourd'hui que je te fais.

Tu es là,
tu m'accables [1], on ne peut plus dire ça,

---

1. ***Tu m'accables*** : tu fais peser sur moi des accusations contre lesquelles je ne peux me défendre.

tu m'accables,
tu nous accables,
200 je te vois, j'ai encore plus peur pour toi que lorsque j'étais enfant,
et je me dis que je ne peux rien reprocher à ma propre existence,
qu'elle est paisible et douce
205 et que je suis un mauvais imbécile qui se reproche déjà d'avoir failli se lamenter,
alors que toi,
silencieux, ô tellement silencieux,
bon, plein de bonté,
210 tu attends, replié sur ton infinie douleur intérieure dont je ne saurais pas même imaginer le début du début.
Je ne suis rien,
je n'ai pas le droit,
et lorsque tu nous quitteras encore, que tu me laisseras,
215 je serai moins encore,
juste là à me reprocher les phrases que j'ai dites,
à chercher à les retrouver avec exactitude,
moins encore,
avec juste le ressentiment [1],
220 le ressentiment contre moi-même.

Louis ?

LOUIS. – Oui ?

ANTOINE. – J'ai fini.
Je ne dirai plus rien.
225 Seuls les imbéciles ou ceux-là, saisis par la peur, auraient pu en rire.

LOUIS. – Je ne les ai pas entendus.

---

1. ***Ressentiment*** : rancœur, colère due au souvenir d'une blessure émotionnelle.

Épilogue

LOUIS. – Après, ce que je fais,
je pars.
Je ne reviens plus jamais. Je meurs quelques mois plus tard,
une année tout au plus.

Une chose dont je me souviens et que je raconte encore
(après j'en aurai fini) :
c'est l'été, c'est pendant ces années où je suis absent,
c'est dans le Sud de la France.
Parce que je me suis perdu, la nuit, dans la montagne,
je décide de marcher le long de la voie ferrée.
Elle m'évitera les méandres [1] de la route, le chemin sera plus
court et je sais qu'elle passe près de la maison où je vis.
La nuit, aucun train n'y circule, je n'y risque rien
et c'est ainsi que je me retrouverai.
À un moment, je suis à l'entrée d'un viaduc [2] immense,
il domine la vallée que je devine sous la lune,
et je marche seul dans la nuit,
à égale distance du ciel et de la terre.
Ce que je pense
(et c'est cela que je voulais dire)
c'est que je devrais pousser un grand et beau cri,
un long et joyeux cri qui résonnerait dans toute la vallée,
que c'est ce bonheur-là que je devrais m'offrir,
hurler une bonne fois,
mais je ne le fais pas,
je ne l'ai pas fait.

---

1. ***Méandres*** : détours, virages.
2. ***Viaduc*** : pont très haut qui franchit une vallée.

Je me remets en route avec seul le bruit de mes pas sur le gravier.

Ce sont des oublis comme celui-là que je regretterai.

Juillet 1990
Berlin.

DOSSIER

Étude de l'œuvre

- Titre et structure
- Les personnages et leurs relations
- Vers l'oral du bac
  (explications de textes)
- Trois mises en scène de *Juste la fin du monde*
- Un livre, un film : *Juste la fin du monde*, de Xavier Dolan (2016)

Parcours : « Crise personnelle, crise familiale »

- La tragédie familiale de l'Antiquité à nos jours
  (groupement de textes n° 1 et sujets d'entraînement)
- « Familles, je vous hais ! » : le poids de la famille dans le théâtre du XXe siècle
  (groupement de textes n° 2 et sujets d'entraînement)
- Les retrouvailles familiales en tension chez Lagarce
  (groupement de textes n° 3 et sujets d'entraînement)
- Le mythe des frères ennemis dans la Bible et en peinture
  (histoire des arts)

Annexe

- Extraits du *Journal* de Lagarce

« CRISE PERSONNELLE, CRISE FAMILIALE » EN PEINTURE

Le conflit entre Louis et Antoine évoque à la fois l'histoire d'Abel et Caïn et la parabole du fils prodigue (voir Dossier, p. 206-209). Ces deux épisodes bibliques ont aussi inspiré de nombreux peintres.

© Luisa Ricciarini / Bridgeman Images

Jacopo Robusti, dit le Tintoret, *Caïn tuant Abel*, 1550-1553, Venise (Italie), Gallerie dell'Accademia.

Le Tintoret (1518-1594), grand peintre de l'âge d'or vénitien, a consacré plusieurs tableaux au meurtre d'Abel par Caïn. Dans celui-ci, la tête de l'agneau au premier plan à droite rappelle l'offrande d'Abel, motif de la jalousie de Caïn. Ce dernier commet le fratricide sous les yeux du spectateur : son bras est suspendu en l'air et Abel, le crâne déjà ensanglanté, chute au sol.

© Bridgeman Images

Rembrandt, *Le Retour du fils prodigue*, v. 1668-1669, Saint-Pétersbourg (Russie), musée de l'Ermitage.

Le peintre hollandais Rembrandt (1606-1669) a représenté l'apologue du fils prodigue à la fin de sa vie. Vêtu de haillons et le crâne rasé, le fils miséreux est agenouillé pour implorer le pardon paternel. Son père l'accueille avec bienveillance, comme en témoignent l'expression de son visage et la position de ses mains, qui protègent et consolent. Debout à droite, le frère aîné, qui ressemble au père par la couleur de son vêtement et par sa barbe, ne paraît pas partager ces émouvantes retrouvailles et reste en retrait. À l'arrière-plan, trois personnages observent la scène dans l'ombre.

TROIS MISES EN SCÈNE

Si *Juste la fin du monde* n'a jamais été porté à la scène du vivant de Lagarce celui-ci fait aujourd'hui partie des auteurs dont les œuvres sont les plus jouées en France. Trois mises en scène ont particulièrement marqué l'histoire de la représentation de la pièce (voir Dossier, p. 157-166). En 1999, Joël Jouanneau prend le parti de la sobriété, avec un décor très dépouillé et une scène inclinée, comme pour déséquilibrer les personnages. En 2007, François Berreur fait un pas de côté par rapport à la lecture parfois autobiographique de la pièce et joue avec l'illusion théâtrale. En 2008, la mise en scène de Michel Raskine marque l'entrée de *Juste la fin du monde* au répertoire de la Comédie-Française et consacre Lagarce en tant qu'auteur contemporain incontournable.

Mise en scène de Joël Jouanneau à La Colline, 2000, avec (de gauche à droite) Christine Vouilloz (Catherine), Michèle Simonnet (la Mère), Marc Duret (Antoine) et Antoine Mathieu (Louis).
Les comédiens sont assis à même le sol, entourés seulement de trois murs qui renforcent la tension du huis clos familial.

Mise en scène de Michel Raskine à la Comédie-Française (répétition), 2008, avec (de gauche à droite) Julie Sicard (Suzanne), Catherine Ferran (la Mère), Elsa Lepoivre (Catherine), Pierre Louis-Calixte (Louis) et Laurent Stocker (Antoine).
À la scène 3 de la deuxième partie, les personnages féminins se tiennent à l'arrière-plan, dans des positions révélatrices de leur caractère : Suzanne, décontractée et juvénile, est retenue par la Mère, pensive, alors que Catherine, debout, a l'air inquiet. Au premier plan, le geste d'Antoine est ambigu, entre embrassade fraternelle et menace d'étranglement.

© Agathe POUPENEY / Divergence

Mise en scène de François Berreur à la MC2 Grenoble, 2007, avec (de gauche à droite) Élizabeth Mazev (Suzanne), Bruno Wolkowitch (Antoine), Danièle Lebrun (la Mère), Clotilde Mollet (Catherine) et Hervé Pierre (Louis).

Le décor, représentant l'intérieur de la maison familiale, est plutôt simple : une table, quelques chaises et une façade percée de fenêtres. Au début de la pièce, on entrevoit le ciel à travers ces ouvertures ; puis, peu à peu, la maison recule et le rideau s'ouvre sur le reste du monde. Les personnages jouent alors avec ce nouvel espace et peuvent se placer en hauteur, comme pendant l'intermède, où Louis monte sur le mur.

© Agathe POUPENEY / Divergence

Mise en scène de François Berreur à la MC2 Grenoble, 2007, avec (de gauche à droite) Bruno Wolkowitch (Antoine), Élizabeth Mazev (Suzanne) et Hervé Pierre (Louis).

L'ADAPTATION CINÉMATOGRAPHIQUE

En 2016, le jeune réalisateur québécois Xavier Dolan, auteur notamment de *Laurence Anyways* (2012) et de *Mommy* (2014), adapte *Juste la fin du monde* au cinéma (voir Dossier, p. 167-174). L'analyse des sentiments et le rapport à la famille, qu'il retrouve dans l'œuvre de Lagarce, figurent parmi ses thèmes de prédilection.

Photogramme issu du film *Juste la fin du monde* de Xavier Dolan, 2016, Canada/France, avec (de gauche à droite) Vincent Cassel (Antoine), Marion Cotillard (Catherine), Gaspard Ulliel (Louis), Léa Seydoux (Suzanne) et Nathalie Baye (la Mère).

La scène de repas est un *topos*, un lieu commun des œuvres littéraires et cinématographiques évoquant la famille. Tous les personnages sont réunis autour de la table, avec Louis au centre. Antoine raconte des blagues, Louis est distrait. La dispute n'est jamais très loin, comme le montre la posture offensive de Suzanne.

Photogramme issu du film *Juste la fin du monde* de Xavier Dolan, 2016, Canada/France, avec Gaspard Ulliel (Louis).

Louis est souvent filmé en gros plans, qui soulignent ses émotions. Au moment de la pause dans le repas dominical, il fume dehors, seul, en pleurant. N'ayant encore rien dit, ayant engrangé les reproches de chacun des membres de la famille, il se trouve au sommet de sa crise personnelle.

ÉTUDE DE L'ŒUVRE

Titre et structure

Le titre

1. Lors du processus de création, l'auteur a changé plusieurs fois le titre de la pièce. Elle fut d'abord intitulée *Les Adieux*, sous sa forme romanesque, puis *Juste à la fin du monde*, avant d'aboutir au titre actuel : *Juste la fin du monde*. Sur quelle(s) figure(s) de style ce titre repose-t-il ? En vous appuyant sur ces reformulations et sur votre lecture, comment le comprenez-vous ? Justifiez votre interprétation.

2. Voici d'autres titres de pièces écrites par Jean-Luc Lagarce : *Retour à la citadelle* (1984), *Derniers remords avant l'oubli* (1987), *J'étais dans ma maison et j'attendais que la pluie vienne* (1994) et *Le Pays lointain* (1995). Quels thèmes communs entre ces titres et l'intrigue de *Juste la fin du monde* (1990) pouvez-vous identifier ?

La construction dramatique de la pièce

3. En quoi la didascalie initiale « *un dimanche, évidemment, ou bien encore durant près d'une année entière* » (p. 50) est-elle étonnante ? Comment l'interprétez-vous ?

4. L'intrigue se déroule « *dans la maison de la Mère et de Suzanne* » (p. 50), à huis clos. Quel effet le choix d'un lieu unique peut-il produire ?

5. Reproduisez le tableau ci-après, puis complétez-le et observez l'organisation des scènes, la répartition de la présence des personnages ainsi que la distribution de la parole entre ces derniers. Que remarquez-vous ?

Scènes	Quels sont les personnages présents sur scène ?	Qui parle ?	À qui ?
Prologue			
	Première partie		
Scène 1			
Scène 2			
Scène 3			
etc.			

6. L'intermède remplit-il sa fonction (voir la définition de l'intermède dans l'encadré ci-dessous) ? Comment est-il construit ? Relevez les éléments qui pourraient confirmer l'hypothèse selon laquelle il s'agit de la narration d'un rêve.

Au sein de l'œuvre de Jean-Luc Lagarce, *Juste la fin du monde* est la pièce qui présente la forme théâtrale la plus classique. Elle comporte notamment des scènes numérotées, ainsi qu'un prologue, un intermède et un épilogue.

Le **prologue** – en grec, *prologos*, qui signifie littéralement « avant le discours » – désigne dans le théâtre antique le discours qui précède l'action de la pièce. Il est prononcé par l'un des comédiens qui, s'adressant directement au public, lui donne les informations nécessaires à la compréhension de l'intrigue.

À l'inverse, l'**épilogue** – en grec, *epilogos*, qui signifie littéralement « sur le discours » – renvoie à un discours récapitulatif qui clôt la pièce en commentant le dénouement.

L'**intermède** désigne un moment de suspens entre deux actes ou deux parties, occupé dans l'Antiquité par des passages chantés au cours desquels le chœur commente l'action de la pièce et, à l'époque classique, par des textes lyriques accompagnés de ballets en musique. C'est le cas, par exemple, dans certaines pièces de Molière, comme *Le Bourgeois Gentilhomme* (1670) ou *Le Malade imaginaire* (1673).

Pour conclure

En vous appuyant sur vos réponses aux questions précédentes, sur l'encadré ci-contre ainsi que sur votre lecture de la pièce, vous rédigerez un paragraphe argumenté pour expliquer dans un premier temps en quoi *Juste la fin du monde* reprend en apparence les codes traditionnels du théâtre ; puis, dans un deuxième temps, comment la pièce s'éloigne en réalité de cette forme classique.

Les personnages et leurs relations

1. Comme dans toute pièce de théâtre, on trouve à la page 50 la liste des personnages accompagnée de quelques caractéristiques essentielles à la compréhension de la pièce par le lecteur. Relisez-la attentivement : quel lien unit les personnages ? Observez particulièrement l'usage des adjectifs possessifs : en quoi est-il étonnant ? Quelle autre information est mentionnée pour chaque personnage ? D'après vous, pourquoi ?

2. « La Mère » est le seul personnage qui ne soit pas désigné par un prénom. Quelle dimension cela lui confère-t-il ? Comment qualifieriez-vous les prénoms des autres personnages ?

A. Catherine

« C'est Catherine./ Elle est Catherine » (p. 53) : c'est sur ces présentations entre Louis et la femme d'Antoine que s'ouvre la scène des retrouvailles familiales. Extérieure à la cellule familiale stricte, Catherine semble, par son statut, destinée au rôle d'intermédiaire entre les autres membres, rôle qu'elle refuse à plusieurs reprises. Sa présence permet, entre autres, de mesurer la durée de l'absence de Louis. Quant à son apparente fragilité, « il ne faut pas s'y fier », nous met en garde Suzanne à la scène 7 de la première partie (l. 6, p. 80).

1. Dans la scène 1 de la première partie, pourquoi Catherine se trouve-t-elle au centre de la discussion ? Pour quelle raison non exprimée cette scène de présentation entre Louis et sa belle-sœur devient-elle si importante aux yeux de certains membres de la famille ?

2. Comparez la longueur des répliques de Catherine entre les scènes 1 et 2 de la première partie. Que remarquez-vous ? Quel est l'objet de la conversation dans cette deuxième scène ? Quel portrait en creux de Catherine cette scène 2 esquisse-t-elle, que ce soit à travers ses répliques ou celles des autres personnages ? Relevez plusieurs éléments pour justifier votre réponse.

3. De la ligne 136 à la ligne 173 (p. 60-61), Catherine explique pourquoi leur fils s'appelle Louis. Relevez les différents arguments de sa démonstration. Qu'en pensez-vous ?

4. Le mot « pardon » est présent à la scène 6 de la première partie. Auparavant, il a été prononcé par Louis dès la première scène, et il apparaît à deux reprises dans la bouche de Catherine lors de la scène 2. En quoi cela confirme-t-il une relation particulière entre Catherine et Louis dans l'usage de la langue ?

5. Dans la scène 6, quels sont les différents types de discours rapporté employés par Catherine aux lignes 13 et 14 (p. 77) ? Quelle est sa réaction face aux insinuations de Louis vis-à-vis d'Antoine ?

6. Antoine devient le principal sujet de cette conversation, comme le montrent ces répliques de Catherine : « Il croit, je crois cela, il croit que vous ne voulez rien savoir de lui » (l. 21-22, p. 77), « il en déduit certainement,/ que sa vie ne vous intéresse pas » (l. 53-54), « il croit probablement que ce qu'il fait n'est pas intéressant » (l. 60). À quel champ lexical les verbes répétés appartiennent-ils ? Pourquoi déclare-t-elle « ce n'est pas mon rôle » à la fin de la scène ?

7. En quoi le procédé des questions rhétoriques, employé par Catherine à plusieurs reprises dans cette scène, pourrait-il effectivement donner l'impression à Louis qu'elle lui fait un « mauvais procès » (l. 56, p. 78) ? Qu'essaie-t-elle de montrer ?

8. Comment interprétez-vous la didascalie finale de la scène 9 de la première partie ? En quoi cette interprétation est-elle confirmée ou infirmée par le rôle que joue Catherine pendant l'intermède ?

9. Entre la scène 1 de la première partie et la scène 2 de la deuxième partie, quelles différences peut-on noter dans les relations entre Catherine et Antoine, puis Catherine et Louis ? Relevez des éléments précis pour justifier votre lecture comparée des deux passages.

Pour conclure

« [Catherine] sait choisir et décider,/ elle est simple, claire, précise./ Elle énonce bien » : que pensez-vous de cette affirmation de Suzanne à la scène 7 de la première partie (l. 7-9, p. 80) ? Comment décririez-vous en quelques lignes le personnage de Catherine ? Vous rédigerez votre réponse en vous appuyant sur vos réponses aux questions précédentes ainsi que sur votre connaissance de la pièce.

B. La Mère

La Mère est un personnage récurrent et central dans les pièces de Jean-Luc Lagarce. Pilier de la famille, elle est celle qui attend le retour de son fils, connaît parfaitement chaque membre de la famille, et modère les échanges conflictuels entre ces derniers. Témoin du passé, elle est également capable de prédire les réactions et les comportements des autres personnages.

1. Lorsque la Mère déplore dans la scène 1 de la première partie « que la femme de [s]on autre fils ne connaisse pas [s]on fils » (l. 40, p. 54), d'après vous, qui sont respectivement « le fils » et « l'autre fils » ? Quelle impression l'ajout de l'adjectif indéfini « autre » produit-il ?

2. Que sous-entend Antoine lorsqu'il affirme, à propos de sa mère, « Elle sait ça parfaitement » (l. 47, p. 54) ? Qu'en pensez-vous ? Justifiez votre réponse à l'aide de citations du texte.

3. « Laisse-le, tu sais comment il est » (l. 109, p. 59), « Il plaisante, c'est une plaisanterie qu'il a déjà faite » (l. 134, p. 60) : quel est le but de ces différentes interventions de la Mère au cours de la scène 2 de la première partie ? À qui s'adresse-t-elle ? Comparez ces interventions avec la scène 2 de la deuxième partie, notamment lorsque la Mère affirme « Laisse-le Louis,/ laisse-le maintenant » (l. 123-124, p. 114) et, en s'adressant à Antoine, « Personne n'est contre toi » (l. 204, p. 117). En quoi est-ce assez révélateur de l'évolution de la pièce ?

4. Dans la scène 3 de la première partie, des lignes 98 à 101 et 107 à 108 (p. 65), quels types de discours Suzanne emploie-t-elle pour rapporter les paroles de la Mère ? Relevez les indices grammaticaux qui vous ont permis de le savoir. Que révèle cette réplique de Suzanne sur la manière dont la Mère évoque Louis lorsqu'il est absent ?

5. Dans la scène 4 de la première partie, identifiez le temps verbal dominant dans les répliques de la Mère et justifiez son emploi. À qui s'adresse-t-elle ?

6. Dans le monologue de la Mère, à la scène 8 de la première partie, quel est le temps verbal dominant, des lignes 17 à 83 (p. 81-84) ? Quels sont les deux personnages désignés par le pronom « ils » et qui sont le sujet de la majorité des verbes ? Quelle posture la Mère adopte-t-elle dans cette scène ?

7. Dans la scène 9 de la première partie, lorsque la Mère déclare « je suis contente que nous soyons tous là, tous réunis » (l. 43-44, p. 89), quel est l'effet de cette réplique de la Mère sur le lecteur-spectateur ? Pourquoi ?

8. D'après les répliques de la Mère durant l'intermède, que fait-elle ? Dans quel état d'esprit se trouve-t-elle ? Le dernier mot de ce passage lui revient : « Ce n'est rien, je croyais que tu étais parti » (l. 5, p. 108). En vous appuyant sur votre connaissance des enjeux de la pièce, expliquez pourquoi cette réplique et le terme « parti » en particulier peuvent être à double entente – c'est-à-dire compris de deux manière différentes – pour le spectateur.

9. Dans quelle position par rapport aux autres personnages Suzanne et la Mère se trouvent-elles dans la scène 3 de la deuxième partie ? Justifiez votre réponse à l'aide d'éléments précis du texte.

Pour conclure

« Cela ne me regarde pas,/ je me mêle souvent de ce qui ne me regarde pas », admet la Mère au début de la scène 8 de la première partie (l. 1-2, p. 81). Pensez-vous que cette affirmation soit vraie tout au long de la pièce ? Vous discuterez cette citation en vous appuyant sur des passages ou des répliques précises de l'œuvre.

C. Suzanne

Suzanne correspond bien à l'idée que l'on se fait d'une petite sœur. Très spontanée, elle déborde d'énergie et de désirs encore inassouvis. Tout au long de la pièce, elle peine à cacher la vive émotion que lui cause la venue extraordinaire de son frère, ce qui se traduit parfois par un flot de paroles non préméditées. « Je parle trop », constate-t-elle (l. 211, p. 69).

1. Quel âge Suzanne a-t-elle ? Comment sa jeunesse se manifeste-t-elle dans la pièce ? Justifiez votre réponse.

2. Dans la scène 3 de la première partie, Suzanne évoque le fait – et derrière le constat, la frustration – de ne pas être partie de la maison familiale : « J'habite toujours ici avec elle. Je voudrais partir mais ce n'est guère possible » (l. 152-153, p. 67). Cette envie vous rappelle-t-elle un autre personnage ? Pour compenser ce désir avorté, qu'est-ce qui devient à ses yeux un symbole d'indépendance ? Relevez des éléments du texte pour justifier votre réponse.

3. « C'est l'histoire d'avant,/ lorsque j'étais trop petite/ ou lorsque je n'existais pas encore. » (l. 40-42, p. 71), « et nous seulement avec

Suzanne,/ cela ne valait plus la peine » (l. 130-131, p. 74), « ANTOINE. – C'est notre faute. / SUZANNE. – Ou la mienne. » (l. 132-133, p. 74) : à travers ces différentes répliques extraites de la scène 4, quelle place Suzanne semble-t-elle occuper dans la structure familiale ? En quoi cela nous donne-t-il une indication sur les personnages centraux de la famille, et par là, de la pièce ?

4. Expliquez en quoi la scène 7 de la première partie témoigne de l'éloignement entre Suzanne et Louis, et révèle au contraire la complicité entre Antoine et sa petite sœur. En quoi cela est-il confirmé lors de l'intermède ? Justifiez votre réponse. Puis relevez au moins une réplique d'Antoine qui étaye cette idée dans la scène 2 de la deuxième partie.

5. De quoi Antoine accuse-t-il Suzanne dans la scène 9 de la première partie ? Quelle est la réaction de cette dernière et quel registre de langue apparaît alors dans ses répliques ? Justifiez votre réponse en vous appuyant sur des éléments précis du texte.

6. Quel rôle Suzanne joue-t-elle dans le conflit qui naît dans la scène 2 de la deuxième partie ?

Pour conclure

« [J]e voulais être heureuse et l'être avec toi », confie Suzanne à son frère Louis lors de la scène 3 de la première partie (l. 121, p. 66). Ici, l'usage de l'imparfait résonne comme un constat d'échec. En quoi cette réplique résume-t-elle le lien qui unit Suzanne et Louis dans l'œuvre ? Vous développerez votre réponse en essayant de retracer l'évolution de la relation entre ces deux personnages tout au long de la pièce.

D. Antoine

Depuis la mort du père et le départ de Louis, Antoine, le fils cadet, est devenu « l'homme de la maison ». En apparence cynique et maladroit dès ses premières répliques, c'est sans doute l'un des personnages les plus complexes de la pièce tant sa représentation évolue au fil de l'œuvre. Parfois « brutal » voire violent, il révèle peu à peu sa grande sensibilité.

1. Quelle image du personnage d'Antoine est donnée dans la première scène ? Quel est son état d'esprit et que cela présage-t-il pour la suite de la pièce ? Justifiez votre réponse à l'aide d'éléments précis du texte.

2. Pourquoi Antoine demande-t-il deux fois « Qu'est-ce que j'ai dit ? » dans la scène 2 de la première partie (l. 76, p. 58 et 118, p. 59) ? Sur quel problème de communication cette interrogation attire-t-elle l'attention du lecteur-spectateur ? Relevez deux occurrences qui prouvent qu'Antoine a recours à l'ironie dans ce passage.

3. Quel portrait d'Antoine la Mère brosse-t-elle dans les scènes 2 et 4 de la première partie ? Relevez deux citations qui le prouvent. À ce stade de la pièce, partagez-vous son point de vue ? Pourquoi ?

4. À la fin de la première partie, de quelles informations le lecteur-spectateur dispose-t-il sur le caractère, la vie et les motivations de ce personnage ? Relevez-les. Vous vous appuierez particulièrement sur les scènes 2, 6 et 8 de la première partie.

5. « Je cédais./ Je devais céder./ Toujours, j'ai dû céder » (l. 89-91, p. 120) » : expliquez ces répliques d'Antoine en vous aidant du contexte dans lequel elles sont prononcées.

Pour conclure

Dans l'avant-dernière scène de la pièce, Antoine affirme : « je suis un mauvais imbécile qui se reproche déjà d'avoir failli se lamenter » (l. 205-206, p. 124). En quoi cette réplique peut résumer l'évolution du personnage au fil de l'œuvre ? Vous justifierez votre point de vue en vous appuyant sur vos réponses aux questions précédentes et sur votre connaissance de la pièce.

E. Louis

Louis apparaît dès le prologue comme le personnage principal de *Juste la fin du monde*. Il possède aussi un statut particulier puisque, dans certaines scènes qui semblent mystérieusement hors du temps, il s'adresse directement au lecteur-spectateur. Tous les regards sont tournés vers lui, suspendus à son annonce. Mais au fil de la pièce, confronté aux reproches du reste de la famille, le personnage se délite, certaines de ses tricheries sont percées à jour et sa parole devient de plus en plus rare.

1. Expliquez ce que Louis entend par le renoncement et l'« absence d'amour » (l. 60, p. 76) dans la scène 5 de la première partie. À qui s'adresse-t-il ?

2. Quel portrait la Mère fait-elle de Louis des lignes 54 à 73 de la scène 8 de la première partie (p. 82-83) ? Qu'en pensez-vous ? Justifiez votre réponse en citant des éléments précis du texte.

3. Comment caractériseriez-vous le ton de la tirade de Louis des lignes 40 à 84, scène 10 de la première partie (p. 90-92) ? Par quel sentiment est-il animé ? Identifiez la figure de style présente aux lignes 46-47 et expliquez en quoi elle participe de cette tonalité.

4. Lorsqu'il évoque les bagarres enfantines entre son frère et lui, Antoine affirme que Louis « se donnait le beau rôle » (l. 169, p. 116). Que veut-il dire ? Vous expliquerez en quoi cette réplique est à double entente pour le lecteur-spectateur et invite à une relecture du personnage.

Pour conclure

Dans *Le Pays lointain* (1995), un des personnages prévient Louis contre la difficulté que va constituer son retour après une si longue absence, compte tenu des non-dits restés en suspens. Il le met en garde sur le fait qu'il devra sans doute « [p]ayer de [s]a personne » (voir ci-après, p. 201-203). Que signifie cette expression ? Peut-elle s'appliquer à Louis dans *Juste la fin du monde* d'après vous ? Vous développerez votre point de vue à l'aide de vos réponses aux questions précédentes et grâce à votre connaissance de l'œuvre.

Vers l'oral du bac
(explications de textes)

EXTRAIT N° 1 : une entrée poétique dans un théâtre de l'intime

Relisez le prologue en entier (p. 51-52), puis répondez aux questions suivantes.

A. Une exposition narrative et introspective (du début à « malgré tout,/ l'année d'après », l. 1-20)

1. Quel pronom personnel domine dans ce passage ? Comment expliquez-vous cette omniprésence ?

2. Relevez tous les termes et expressions qui appartiennent au champ lexical de la mort. À la lecture de ce prologue, à quel genre dramatique la pièce semble-t-elle appartenir ?

3. Dans le théâtre antique, le prologue a pour fonction d'exposer la situation et les enjeux de l'intrigue. Ici, quelle information cruciale est donnée dès les premières lignes ? Répondez en citant le texte. Quelles sont les attentes du lecteur-spectateur pour la suite de la pièce ?

4. Depuis la présentation des personnages, Jean-Luc Lagarce semble s'affranchir des contraintes temporelles traditionnelles. Relevez les différents temps verbaux utilisés dans les lignes 1 à 4. Comment l'énonciateur se situe-t-il par rapport au présent de la pièce ? Que cela implique-t-il ?

5. Par ses effets de rythme, sa musicalité ainsi que sa mise en page, l'écriture de Jean-Luc Lagarce a souvent été comparée à des vers libres, c'est-à-dire à des vers de longueur inégale et sans rime. Quelle(s) figure(s) de style employée(s) dans ce passage pourrai(en)t-elle(s) confirmer cet « effet de poésie » ?

Le registre lyrique désigne, dans un texte, l'expression du Moi, c'est-à-dire l'évocation de sentiments personnels tels que l'amour, l'angoisse de la mort, la mélancolie, etc. Il repose sur des procédés littéraires récurrents : l'emploi de la première personne du singulier, une ponctuation expressive, la présence de champs lexicaux associés aux thèmes lyriques évoqués précédemment ou encore de figures de style comme l'anaphore, la métaphore, etc.

6. En vous aidant de l'encadré ci-dessus, expliquez pourquoi on peut affirmer que ce premier mouvement relève du registre lyrique. Appuyez votre réponse sur des éléments précis du texte.

B. L'annonce d'un projet personnel et d'une intrigue théâtrale (de « je décidai de retourner les voir » à « ma mort prochaine et irrémédiable », l. 21-31)

7. Le deuxième mouvement est marqué par l'annonce d'un projet : « je décidai de retourner les voir, revenir sur mes pas, aller sur mes traces et faire le voyage » (l. 21-22) et l'apparition d'un autre pronom personnel. Lequel ? Qui désigne-t-il d'après vous ? Quel effet l'absence d'antécédent produit-elle ?

8. Le thème du retour (« revenir sur mes pas », l. 21) est récurrent dans l'œuvre de Jean-Luc Lagarce. À quel célèbre personnage d'Homère l'associe-t-on souvent ? Pour ce dernier, comment le retour se passe-t-il ?

9. « [L]entement, calmement, d'une manière posée » (l. 25) : quelle émotion ou quelle volonté du personnage cette réplique manifeste-t-elle ?

10. « [D]ire,/ seulement dire » (l. 29-30) : quel est le sujet de l'annonce de Louis ? Comment comprenez-vous l'adverbe « seulement » dans ce contexte ? Plusieurs interprétations sont possibles.

11. Pourquoi peut-on dire que le lecteur-spectateur se trouve dans une position privilégiée par rapport aux autres personnages de la pièce ? Quel lien le prologue instaure-t-il entre le personnage de Louis et lui ?

C. Louis endosse son rôle (de « l'annoncer moi-même » à la fin, l. 32-43)

12. À quel champ lexical les termes « messager » (l. 32), « paraître » (l. 33) et « illusion » (l. 41) appartiennent-ils ? Pourquoi peut-on parler de théâtre dans le théâtre ? En quoi cela contraste-t-il avec l'atmosphère intime qui avait été instaurée depuis le début de la pièce ?

13. Quel rôle le personnage se réserve-t-il ? Relevez tous les éléments du texte qui justifient votre réponse.

14. « [M]e donner et donner aux autres, et à eux, tout précisément, toi, vous, elle, ceux-là encore que je ne connais pas (trop tard et tant pis) » (l. 38-40) : repérez les pronoms personnels présents dans ces lignes. Qui désignent-ils respectivement ? Plusieurs réponses sont possibles.

Pour conclure

Au terme de ce prologue, quelles sont les attentes du lecteur-spectateur ? Dans quel état d'esprit se trouve-t-il par rapport au personnage de Louis ? Vous vous aiderez de vos réponses aux questions précédentes pour étayer votre propos.

Point de grammaire : les temps verbaux

Questions

1. À quels temps les verbes présents entre les lignes 1 et 9 sont-ils conjugués ? Quelles sont leurs valeurs ? Relevez, si cela est possible, les indices qui vous ont permis de le savoir. Quel est l'effet produit par la présence de ces différents temps verbaux ?
2. « [C]omme on ose bouger parfois » (l. 10) : quel est le temps verbal utilisé ici ? Quelle est sa valeur ? Relevez les indices qui peuvent appuyer votre réponse. Quel est l'effet produit ?
3. Quel est le temps verbal utilisé à la ligne 21 ? Quelle est sa valeur ? Justifiez son emploi.

4. Quel est le temps verbal utilisé aux lignes 26-27 et 34 ? Quelle est sa valeur ? Relevez, si cela est possible, les indices qui peuvent appuyer votre réponse. Justifiez l'emploi de ce temps.

Rappel[1]

Les temps de l'indicatif peuvent avoir différentes valeurs, c'est-à-dire que l'action n'est pas toujours envisagée de la même façon. Voici trois exemples pour illustrer cette idée :
– le présent peut correspondre au moment de l'énonciation, c'est-à-dire au moment où l'on parle (**présent d'énonciation**), mais il peut aussi exprimer le **passé** ou le **futur proche**, la répétition (**présent itératif**) ou encore une vérité générale (**présent de vérité générale**) ;
– un récit au passé peut faire alterner l'imparfait (**action d'arrière-plan**) et le passé simple (**action de premier plan**) ;
– le passé composé sert à exprimer un événement qui vient de se dérouler mais qui a encore des conséquences dans le présent.

EXTRAIT N° 2 : le monologue de Suzanne

Relisez la scène 3 de la première partie, du début à « nous n'avons aucun droit de te reprocher ton absence » (p. 62-66), puis répondez aux questions suivantes.

A. « [J]e te fais des reproches et tu m'écoutes » : le tribunal de Suzanne (du début à « et nous obliger, de nous-mêmes, à nous inquiéter de toi », l. 1-36)

1. Quel sujet de conversation Suzanne lance-t-elle avec son frère ? Cela vous semble-t-il étonnant ?

---

1. Tous les rappels de grammaire présents dans ce Dossier sont issus ou inspirés de l'ouvrage de Mathilde Morinet, *Réussir le bac de français : la question de grammaire*, Flammarion, coll. « Librio », 2020.

2. « [J]e me suis retrouvée sans rien » (l. 6) : à travers cette formulation, comment Suzanne se décrit-elle ? Qu'en pensez-vous ?

3. Suzanne répète à cinq reprises « ce n'est pas bien ». Quel effet cette anaphore produit-elle ?

4. « [T]u as dû parfois avoir besoin de nous et regretter de ne pouvoir nous le dire » (l. 28-29) : en vous appuyant sur votre lecture du prologue, expliquez en quoi cette déclaration de Suzanne est assez ironique pour le lecteur-spectateur.

B. Le silence de l'écrivain (de « Parfois, tu nous envoyais des lettres » à « C'est pour les autres », l. 37-73)

5. Après le reproche vient le temps du récit : par quel choix grammatical cela se traduit-il dès la première ligne ?

6. Dans la bouche de Suzanne, l'adverbe « juste » (l. 40) est-il mélioratif ou péjoratif ? Que révèle-t-il de son sentiment à l'égard des lettres de Louis ?

7. En quoi la phrase « Je vais bien et j'espère qu'il en est de même pour vous » (l. 86) est-elle « elliptique [1] », comme l'affirme Suzanne ?

8. Que signifie l'expression « fauss[er] compagnie » (l. 46) et à quoi fait-elle référence ici ? De quel procédé littéraire s'agit-il ? Pourquoi Suzanne l'emploie-t-elle d'après vous ?

9. Quel aveu Suzanne fait-elle dans cette réplique aux lignes 53-56 ? Est-ce positif et/ou négatif ? Justifiez votre réponse en vous appuyant sur des analyses précises.

10. À votre avis, pourquoi Louis rit-il lorsque Suzanne emploie le terme « don » (l. 65) ?

11. « [T]u ne nous en juges pas dignes. » (l. 71-72) : expliquez les sous-entendus derrière cette phrase. En quoi ce début de monologue de Suzanne remet-il en question la vision que le lecteur-spectateur avait du personnage principal depuis le début de la pièce ?

---

1. ***Elliptique*** : voir note 1, p. 63.

C. La demande d'amour (de « Ces petits mots » à « le parc des expositions internationales », l. 74-97)

12. En décomposant l'adjectif « enviable » (l. 78), donnez sa définition. Pourquoi peut-on dire que l'emploi de ce terme est ironique ?

13. Relevez le passage du texte dans lequel le reproche de Suzanne est explicitement formulé. Que voudrait-elle au contraire ?

14. « Et même, pour un jour comme celui d'aujourd'hui,/ même pour annoncer une nouvelle de cette importance » (l. 88-89) : en quoi cette réplique peut-elle être à double entente pour le lecteur-spectateur qui connaît le prologue de Louis ?

D. Une forme de renoncement (de « Elle, ta mère, ma mère » à « nous n'avons aucun droit de te reprocher ton absence », l. 98-119)

15. « Elle, ta mère, ma mère » (l. 98) : observez l'usage des pronoms personnels dans cette phrase. Que cela nous révèle-t-il sur les relations au sein de la famille ?

16. Relevez un indice qui permet de dater les origines du conflit familial.

17. « [T]u as fait et toujours fait ce que tu avais à faire » (l. 101) : en quoi cette phrase donne-t-elle une impression de fatalité ?

18. « [T]u ne fus pas toujours tellement tellement présent » (l. 106) : Suzanne use ici d'un euphémisme pour évoquer l'absence de Louis. Pourquoi, d'après vous ? Relevez d'autres citations qui relèvent du même procédé.

19. « [E]t ne pas être là, tu as le droit également » affirme Antoine à Louis, lors de la scène 11 (l. 180, p. 101). En quoi fait-elle écho à une réplique de Suzanne dans ce passage ?

Pour conclure

En vous appuyant sur vos réponses aux questions précédentes ainsi que sur des citations précises du texte, vous montrerez en quoi cette scène a pu faire avancer l'enjeu dramatique de la crise familiale mais reculer celui de la crise individuelle de Louis.

Point de grammaire : la négation

Questions

1. Relevez les formes et analysez la nature des mots de la négation entre les lignes 17 et 36.
2. Relevez et analysez les différentes propositions présentes entre les lignes 58 et 63.
3. Quelle est la nature du mot « Mais » (l. 64) ? Quelle valeur introduit-il ici ?
4. En vous appuyant sur vos réponses aux questions précédentes, détaillez la progression de la démonstration de Suzanne. Selon vous, est-elle efficace ?

Rappel

Quand on emploie une négation dans une phrase, celle-ci, auparavant positive, prend une valeur négative. Il faut lui ajouter un ou plusieurs mots pour qu'elle devienne ainsi négative, entièrement ou en partie. En effet, la négation peut porter sur la phrase tout entière ou sur un ou plusieurs éléments. La négation peut également toucher le sens d'un mot, sans que la phrase en entier ne devienne négative : on parle alors de négation lexicale.

En général, **deux mots** sont nécessaires pour construire la négation : l'adverbe *ne* ou sa forme élidée *n'*, qui se place avant le verbe, suivi :
– dans le cas d'une **négation totale ou partielle** :
  – d'un adverbe : *pas, point, plus, jamais, guère, nulle part* ;
  – d'un pronom indéfini : *rien, personne, nul, aucun, pas un* ;
  – d'un déterminant : *aucun, nul.*
– dans le cas d'une **négation exceptive** : de l'adverbe *que.*
– dans d'autres cas encore : de la conjonction de coordination *ni.*

Parfois, **un seul mot** est nécessaire pour construire la négation. Il peut s'agir des adverbes *ne* ou *non*, ou de la préposition *sans.*

EXTRAIT N° 3 : une tentative d'échange entre les deux frères

Relisez la scène 11 de la première partie, du début à « et tu serais déjà débarrassé de cette corvée » (p. 95-99), puis répondez aux questions suivantes.

A. Un dialogue à deux vitesses (du début à « Comment est-ce que c'était ? », l. 1-27)

1. Avec quel type de phrases Antoine s'exprime-t-il des lignes 9 à 12 ? Quel état d'esprit du personnage cela révèle-t-il d'après vous ?

2. Antoine ne veut pas que Louis se mette à « raconter des histoires » comme il le répète à deux reprises. À quoi fait-il référence ? A-t-il « racont[é] des histoires » depuis le début de la pièce ? Si oui, à qui ?

3. Antoine a peur d'être « perd[u] » (l. 21), d'être « noy[é] » (l. 24). Il désigne même la manière dont Louis amorce la conversation comme « une technique pour noyer et tuer les animaux » (l. 174-175, p. 101) Comment qualifieriez-vous ces images qu'il convoque pour décrire l'effet des paroles de Louis sur lui ? Quelle intention prête-t-il à son frère ?

4. En quoi cet échange est-il révélateur du rapport au langage de chacun des personnages ? Vous vous appuierez sur vos réponses aux questions précédentes et sur votre connaissance de l'œuvre pour développer votre point de vue.

5. Pourquoi peut-on dire qu'à la fin de ce passage, Antoine essaie de se reprendre et de renouer le dialogue avec Louis ? Relevez et commentez des éléments précis du texte.

B. Le deuil de la conversation voulue par Louis (de « Non, je disais cela, c'est sans importance » à « des histoires, je ne comprends rien », l. 28-85)

6. « Je ne dis rien si tu ne veux rien dire » (l. 34), « je n'ai rien dit, je t'écoute » (l. 36), « Non, rien, rien qui vaille la peine » (l. 40) : dans ces trois répliques d'Antoine et Louis, pourquoi peut-il y avoir un effet de double entente pour le lecteur-spectateur ?

7. « Oui ?/ La gare ? » (l. 38-39) : Antoine essaie, malgré tout, de relancer une deuxième fois le récit de Louis. Cela fonctionne-t-il ? Soyez attentif à la longueur des répliques.

8. Que peut signifier l'expression « [être reçu] avec une carabine » (l. 56-57) ? Pourquoi pourrait-on dire, de manière symbolique, que certains membres de la famille ont reçu Louis de cette façon ? Justifiez votre réponse en vous appuyant sur des éléments précis du texte.

9. Entre les lignes 67 et 70, dans quelle position Louis met-il son frère ? En quoi cela peut-il être ambivalent aux yeux d'Antoine ?

10. Comment Antoine réagit-il à la suite du récit ? De quoi accuse-t-il Louis ? Expliquez quelle est la valeur du présent utilisé dans ces lignes. En quoi ce reproche peut-il faire évoluer le regard que le lecteur-spectateur porte sur le personnage de Louis depuis le début de la pièce ?

C. L'émergence d'un nouveau personnage principal (de « Tu ne disais rien » à « et tu serais déjà débarrassé de cette corvée », l. 86-120)

11. Lorsque Antoine imagine la « scène du buffet de la gare », il décrit les actions et le décor autour de son frère. De manière implicite, il fait un portrait en miroir des deux personnages. Relevez les éléments opposés qui se rapportent à l'un et à l'autre.

12. En quoi la réplique d'Antoine à la ligne 110 vient démystifier la tirade de Louis et lui apporter un sens nouveau ?

13. Commentez l'usage des pronoms des lignes 115 à 120. Qui désignent-ils ? De quoi la reformulation « si nous savions, si je savais » est-elle révélatrice ?

14. « [S]i nous savions, si je savais,/ les choses te seraient plus faciles, moins longues/ et tu serais déjà débarrassé de cette corvée » (l. 118-120) : pourquoi peut-on dire qu'Antoine, sans le savoir, vise juste ?

15. Quel personnage se met finalement à « raconter des histoires » ? Dans quel sens ?

Pour conclure

« [D]es histoires, je ne comprends rien » (l. 85) : le récit fait par Louis au début de cette scène est aussi opaque pour le lecteur-spectateur que pour Antoine, d'autant plus qu'il est bien éloigné de l'annonce que le personnage est censé faire. En vous appuyant sur vos réponses aux questions précédentes et en prenant en compte la suite de cette scène, vous montrerez en quoi l'on assiste dans ce passage à un renversement dans la hiérarchie des personnages principaux et secondaires du point de vue du lecteur-spectateur.

Point de grammaire : la phrase complexe

Questions

1. Comment appelle-t-on les phrases qui ne contiennent qu'un sujet et un verbe – ou un sujet, un verbe et un complément –, comme à la ligne 19 ?

2. « Ne commence pas » (l. 19) : quel est le mode du verbe conjugué dans cette phrase ? À quel type de phrase appartient-elle alors ? Qu'en est-il de la phrase « Tu sais » (l. 19) ?

3. Des lignes 20 à 22, quelle relation logique lie les différentes propositions ?

4. À quel personnage les répliques citées précédemment appartiennent-elles ? En quoi cet usage de la phrase est-il assez révélateur de son état d'esprit au début de cette scène ?

5. Comment appelle-t-on les propositions insérées comme à la ligne 81 ? Quelle est leur fonction ? Quel autre signe typographique peut permettre de les reconnaître ?

6. Comment le type d'interrogation utilisé varie-t-il entre les lignes 26 et 27 ? Dans le contexte de la scène, comment pouvez-vous expliquer ce choix ?

7. Précisez, dans les phrases suivantes, si les propositions en italique et soulignées sont des subordonnées complétives, relatives ou circonstancielles.
(a) « je voulais *que tu le saches* »
(b) « Je ne dis rien *si tu ne veux rien dire.* »
(c) « Rien *qui vaille la peine* »
(d) « Je pensais *que tu aurais pu être content* *que je te le dise* »
(e) « Je ne sais pas à quelle heure *je suis arrivé* »
(f) « ce sont des idées *qui traversent la tête* »
(g) « je me suis dit *que je te dirais* *que j'étais arrivé beaucoup/ plus tôt et que j'avais traîné un peu.* »

8. Au discours de quel personnage toutes ces répliques appartiennent-elles ? De quoi cet usage récurrent de phrases complexes est-il révélateur dans le contexte de cette scène et de la pièce en général ?

Rappel

La phrase complexe est composée d'au moins **deux propositions**, qui peuvent s'assembler de différentes manières. Elles peuvent être coordonnées, juxtaposées, subordonnées ou insérées.
Les **propositions coordonnées** sont assemblées à l'aide d'une **conjonction de coordination**.
Les **propositions juxtaposées** sont simplement séparées par une **virgule**.
Les propositions peuvent être **subordonnées**, c'est-à-dire qu'une proposition dépend d'une autre proposition, que l'on appelle la proposition principale. Parmi les propositions subordonnées, on distingue :
– les **complétives**, qui complètent le plus souvent un verbe ; elles ont alors les mêmes fonctions qu'un groupe nominal, COD ou COI.
– les **relatives**, qui sont reliées à un groupe nominal, le plus souvent à la manière d'un adjectif en fonction épithète.
– les **circonstancielles**, qui ont le même rôle qu'un complément circonstanciel.

Les **propositions insérées** sont placées à l'intérieur d'une autre proposition, sans mot de liaison (pas de mot subordonnant, pas de conjonction de coordination), et elles sont nettement détachées par des virgules, des tirets ou des parenthèses.

EXTRAIT N° 4 : « il est l'heure du départ »

Relisez la scène 2 de la deuxième partie, du début à « Tu me touches : je te tue » (p. 110-114), puis répondez aux questions suivantes.

A. Des adieux qui déraillent (du début à « Cela joint l'utile à l'agréable », l. 1-41)

1. En quoi notre interprétation de la première réplique d'Antoine dans cette scène est-elle biaisée par la scène précédente ? Qu'a insinué Louis ?

2. Entre les lignes 14 et 22, on relève l'anaphore de « Mieux encore » à trois reprises dans la bouche de Suzanne. Que nous révèle l'emploi de cette figure de style sur l'état d'esprit du personnage ?

3. Pourquoi la reprise de cette formule dans la bouche de Louis sonne-t-elle différemment ? À quel(s) genre(s) littéraire(s) la ligne 31 peut-elle faire penser ?

4. « [I]l veut partir, il part » (l. 38), « je l'accompagne, on le dépose » (l. 39) : quel est le lien logique utilisé au sein de ces deux citations ? En quoi ce choix grammatical produit-il le même effet que la réplique « tout est réglé » (l. 34) ?

5. Expliquez pourquoi cette réplique en apparence anodine : « Cela joint l'utile à l'agréable » (l. 41) est en réalité une accusation cachée. Pour répondre, vous pourrez vous appuyer sur la scène précédente.

B. Le procès d'Antoine (de « C'est cela, voilà, exactement » à « Ne me regardez pas tous comme ça ! », l. 42-79)

6. Antoine perçoit-il la charge menée contre lui ? Comment appelle-t-on les phrases comme « Cela joint l'utile à l'agréable » (l. 41) et « [faire] d'une pierre deux coups » (l. 44) ? Sont-elles synonymes ? Expliquez en quoi elles sont révélatrices des personnalités et du rapport au langage de chacun des frères.

7. Identifiez la figure de style employée dans la réplique de Suzanne (l. 45-48). Quel effet produit-elle ?

8. Quel type de phrases Antoine utilise-t-il pour lui répondre ? Quelle(s) émotion(s) cela traduit-il d'après vous ?

9. En quoi la réplique de Suzanne à la ligne 54, de même que l'interrogation d'Antoine à la ligne 72, révèlent-elles les limites de la communication ou l'impossible dialogue, thème récurrent dans l'œuvre de Jean-Luc Lagarce ?

10. Qu'Antoine insinue-t-il entre les lignes 56 et 59 ? Est-ce la première fois dans la pièce ?

11. « [P]eut-être que j'ai cessé tout à fait de comprendre » (l. 65), « je ne disais rien » (l. 64, l. 67) : à quelle autre scène ces répliques font-elles écho ?

12. À qui Antoine s'adresse-t-il à la ligne 79 ? Pourquoi peut-on dire que cette réplique joue sur la double énonciation ? Quelles sont les différentes interprétations que l'on peut lui donner ?

C. Un personnage qui se défait (de « Elle ne te dit rien de mal » à « « Tu me touches : je te tue », l. 80-122)

13. Quelle est la réaction d'Antoine lorsque Louis cherche à prendre sa défense aux lignes 90-91 ? Que signifie l'expression « la Bonté même » (l. 92) ? Pourquoi est-elle entre guillemets ?

14. Des lignes 95 à 104, quelles indications de jeu la réplique d'Antoine donne-t-elle aux comédiens qui interprètent ce passage ?

15. Quel est l'effet produit par la tirade d'Antoine des lignes 94 à 120 sur le spectateur ?

16. Relevez les citations qui montrent qu'Antoine est en train d'échapper au rôle que sa famille lui a assigné.

17. À quelle scène les lignes 116 à 120 font-elles écho ? Quel message Antoine veut-il faire entendre d'après vous ? Justifiez votre réponse en vous appuyant sur des éléments tirés de ce passage et/ou de la suite de cette scène.

18. En quoi les deux répliques de Louis et d'Antoine, lignes 121 et 122, donnent-elles des indications de jeu pour les comédiens ? Comment caractériseriez-vous les réactions de l'un et de l'autre ?

Pour conclure

Le contraste entre les deux dernières phrases de ce passage est frappant pour le lecteur-spectateur et marque l'apogée des tensions dans la pièce. En vous appuyant sur vos réponses aux questions précédentes et sur votre connaissance de l'œuvre, vous analyserez la gradation dans la tension dramatique de cet extrait.

Point de grammaire : la formation des mots et leurs relations de sens

Questions

1. De quels mots l'adjectif *vraisemblable* est-il composé ? Précisez leur nature. Quel est le sens du préfixe *in-* dans « invraisemblable » (l. 53) ? À l'aide de vos réponses aux questions précédentes, donnez la définition du terme *invraisemblable*.

2. Relevez un adjectif dérivé d'un verbe par suffixation entre les lignes 45 et 48. Quel est son antonyme ? Quel procédé lexical avez-vous employé pour transformer le radical ?

3. Donnez les formes féminine, masculine, au singulier et au pluriel de l'adjectif *brutal* (l. 83).

4. Relevez tous les termes qui appartiennent au champ lexical de la morale entre les lignes 110 et 115. Comment pouvez-vous expliquer qu'il soit si présent dans ce passage ?

Rappel

Les mots de **composition française** peuvent être obtenus par **dérivation**, c'est-à-dire en ajoutant un **préfixe** ou à un **suffixe** à un mot déjà existant, que l'on appelle le **radical**. Le préfixe est placé avant le radical, le suffixe après.

EXTRAIT N° 5 : un cri retenu en guise de dénouement

Relisez l'épilogue en entier (p. 125-126), puis répondez aux questions suivantes.

A. L'inéluctable approche de la mort (de « Après, ce que je fais » à « une année tout au plus », l. 1-4)

1. À quoi l'adverbe temporel « après » (l. 1) renvoie-t-il ?
2. Dans quel lieu et à quel moment Louis parle-t-il ?
3. « Je meurs quelques mois plus tard » (l. 3) : en quoi cette réplique crée-t-elle un effet de boucle par rapport au prologue ? Qu'est-ce qui caractérise la situation d'énonciation de ces deux scènes ? D'où Louis se place-t-il pour les prononcer ?

B. L'anecdote entre ciel et terre (de « Une chose dont je me souviens » à « égale distance du ciel et de la terre », l. 5-18)

4. Quelle est la valeur du présent employé dans ce passage ? Quel effet cela crée-t-il selon vous ?

5. En quoi peut-on dire que ce passage prend une tonalité lyrique ? Pour répondre, vous pouvez vous aider de l'encadré, p. 140.

C. La parole impossible (de « Ce que je pense » à « mes pas sur le gravier », l. 19-28)

6. Dans le prologue, Louis annonçait sa volonté de « dire,/ seulement dire » (l. 29-30, p. 52), l'épilogue se clôt au contraire sur la nécessité de « pousser un grand et beau cri » (l. 21), de « hurler » (l. 24). En quoi ce « long et joyeux cri » (l. 22) peut-il être la conséquence de l'impossibilité de communiquer au sein de la famille ?

7. Sur quelle image de Louis, aux lignes 27-28, l'anecdote s'achève-t-elle ?

D. Un dénouement ambigu (l. 29)

8. Relisez le prologue de la pièce : le nœud annoncé de l'intrigue – « dire,/ seulement dire » (l. 29-30, p. 52) – a-t-il été résolu ? Les attentes du lecteur-spectateur ont-elles été comblées ?

9. En quoi la dernière phrase donne-t-elle l'impression que le dénouement théâtral et personnel attendu n'a pas eu lieu ? Vous appuierez votre réponse sur des analyses précises de mots.

10. Pourquoi peut-on dire que le lecteur-spectateur retrouve son rapport privilégié à Louis dans ce dernier monologue ? Quel effet la dernière phrase produit-elle alors sur lui ?

Pour conclure

Louis n'a pas évoqué sa mort prochaine devant les membres de sa famille, contrairement à ce qu'il avait annoncé dans le prologue. Dans un entretien, François Berreur revient sur cet « échec » et affirme : « Un échec de quoi ? Mais il le dit, excusez-moi ! Moi je suis dans la salle et je l'ai entendu. Pas mal, non ? […] Où voyez-vous l'échec, quand on n'a pas dit à cinq personnes ce qu'on a dit à des milliers[1] ? » Pourquoi n'a-t-il pas parlé ? A-t-il été entendu ? Si oui, par qui ? Les crises personnelle et familiale ont-elles été résolues malgré l'absence de l'annonce ? Vous développerez votre point de vue, de manière argumentée, en vous appuyant sur votre connaissance de l'œuvre.

Point de grammaire : les fonctions des mots et des groupes de mots dans la phrase

Questions

1. Quel est la nature et la fonction du mot « immense » (l. 15) ?
2. Analysez la composition du groupe nominal « les méandres de la route » (l. 11). Quelle est sa fonction dans la phrase ?
3. Relevez trois groupes prépositionnels en fonction de complément circonstanciel de lieu entre les lignes 15 et 18. Commentez-les.
4. Analysez la construction grammaticale de la proposition « il domine la vallée que je devine sous la lune » (l. 16).
5. Quel est l'effet produit par la présence de nombreux compléments circonstanciels (notamment de lieu et de temps) entre les lignes 7 et 18 ?

Rappel

Dans une phrase, les groupes de mots s'organisent autour d'un mot principal que l'on appelle le **noyau**. Les groupes de mots, et parfois un mot tout seul, ont un rôle ou une **fonction** à l'intérieur de la phrase.

Dans le **groupe nominal**, les fonctions des mots peuvent être : **épithète**, **complément du nom** ou **apposition**. Ces fonctions servent à donner une information complémentaire sur un nom.

---

1. Cette citation est extraite de « Loin dans les méandres de la parole », entretien reproduit dans Bertrand Chauvet et Éric Duchâtel, *Juste la fin du monde. Nous, les héros. Jean-Luc Lagarce*, CNDP, 2007, p. 81.

Dans le groupe verbal :
– le **sujet** régit le verbe et impose son accord ;
– le **COD** complète le verbe et se construit sans préposition ;
– le **COI** complète le verbe et est toujours précédé d'une préposition ;
– l'**attribut du sujet** donne une information sur le sujet, par l'intermédiaire du verbe ;
– l'**attribut du COD** donne une information sur le COD, par l'intermédiaire du verbe ;
– le **complément circonstanciel** donne des informations sur les circonstances de l'action signifiée par le verbe ;
– le *complément d'agent* signale l'agent d'un verbe passif.

Parmi les **fonctions complémentaires**, on distingue : le **complément de l'adjectif**, qui donne une information complémentaire sur l'adjectif ; l'**apostrophe**, qui permet d'interpeller, généralement une personne.

Trois mises en scène de *Juste la fin du monde*

La mise en scène de Joël Jouanneau (1999, théâtre Vidy-Lausanne)

Joël Jouanneau (auteur et metteur en scène né en 1946) est le premier à avoir mis en scène *Juste la fin du monde* (voir Cahier photos, p. II). Il fait le choix de costumes et de décors sobres et dépouillés : Louis porte une chemise grise et un pantalon noir ; derrière lui, un mur blanc sert d'arrière-plan. De manière surprenante, le plateau de la scène est incliné, ce qui place les comédiens dans une position de déséquilibre constant.

Extrait de la note d'intention de Joël Jouanneau [1]

Le parti pris de mise en scène

« Et c'est après […] que nous [Jean-Luc Lagarce et lui] en ayons longuement parlé (il avait le regard et la voix de ceux qui ne sont déjà plus tout à fait de notre monde), dans la nuit qui suivit, que je fis ce rêve étrange : j'étais dans une forêt, épuisé, une hache à la main, et lui, cet homme malade, apparaissait comme on apparaît seulement dans les rêves, prenait la hache, et avec un grand rire et une force incommensurable, il abattait les arbres, ouvrant en peu de temps une clairière devant moi. David Warrilow [2] est mort depuis, et Jean-Luc Lagarce aussi, la même année, mais aujourd'hui encore, quand je vois une photo de lui, c'est toujours l'homme à la hache que je vois.

---

1. Reproduite sur le site theatre-contemporain.net, à l'adresse suivante : www.theatre-contemporain.net/spectacles/Juste-la-fin-du-monde/ensavoirplus/.
2. ***David Warrilow*** : acteur anglais (1934-1995).

[…]

Il me semblait, dès la lecture, que je devais créer *Juste la fin du monde* et faire suivre cet inédit de *J'étais dans ma maison et j'attendais que la pluie vienne*, que ces deux pièces constituaient deux volets d'une même fenêtre, qu'elles traversaient une même problématique : celle de la perte, l'apprentissage du deuil. Qu'elles étaient, de la part d'un auteur se sachant condamné, un stupéfiant don de lui-même à ceux qui survivent, une troublante marque d'amour. Et je pensais alors à ce propos de Claude-Louis Combet [1] "le texte, depuis le commencement, n'avait pas été autre chose que la préparation d'un cri et sa retenue. Et tous les détours par lesquels la phrase avait suivi son cours, constituaient une manière de s'approcher du point où le cri allait éclater et une manière de se tenir à distance de ce point et de ce cri.

Le cri valait pour tout ce qu'il cachait et d'abord et surtout pour ce cri de fond d'enfance qui n'avait jamais pu être proféré puisqu'il n'y avait jamais eu d'oreille pour l'entendre."

C'est donc dans un même décor, avec une même équipe de comédiens, que je vous propose de venir à la rencontre d'une écriture qui, bien que sortie de la nuit, ouvre sur une clairière semblable au rêve que je fis. »

Questions

1. Quel effet la sobriété des costumes peut-elle produire sur le spectateur ?

2. En quoi, selon vous, la pièce *Juste la fin du monde* peut-elle être considérée comme une œuvre sur « la perte, l'apprentissage du deuil », comme l'affirme Joël Jouanneau ? Vous développerez votre réponse en vous appuyant sur des éléments précis de l'œuvre.

3. Le metteur en scène évoque un rêve qu'il a fait après sa discussion avec l'auteur. Pour certains critiques, son choix d'une mise en

1. ***Claude-Louis Combet*** : auteur français (né en 1932).

■ Mise en scène de Joël Jouanneau à La Colline, 2000, avec Marc Duret (Antoine) et Antoine Mathieu (Louis).
Les deux frères se font face.

scène peu réaliste alimente une des lectures possibles de l'œuvre selon laquelle toute la pièce ne serait qu'une projection, un rêve de Louis. Qu'en pensez-vous ? Vous développerez votre réponse en vous appuyant sur des passages précis de l'œuvre.

La mise en scène de François Berreur (2007, MC2 Grenoble)

Dans sa mise en scène, François Berreur[1] (né en 1959) choisit de représenter la maison familiale (voir Cahier photos, p. III). Le début de la pièce se déroule à l'intérieur, il y a une table et des chaises. Plus la pièce avance, plus la maison recule, ce qui permet au spectateur de voir l'extérieur de celle-ci, comme si la mise en scène matérialisait les désirs de fuite du personnage.

Extraits de « Loin dans les méandres de la parole », entretien avec François Berreur[2]

Le parti pris de mise en scène

« [...] Au fond, l'histoire de Louis qui vient et qui dit qu'il va mourir, moi ça ne m'intéresse pas tellement. Mon point de départ, c'est la tricherie [...]. C'est la grande question de ce texte : comment on dit des choses vraies, et comment ces choses deviennent artificielles, ou fausses, et où est la différence ? [...] Je propose la version la plus irrespectueuse : Hervé Pierre a cinquante ans ; donc il n'a pas dit deux mots que le public se dit "ah, ah...", il dit qu'il a trente-quatre ans, donc il y a deux solutions, soit il ment, soit il est mort. »

---

1. Voir Présentation, p. 8.
2. Reproduit dans Bertrand Chauvet et Éric Duchâtel, *Juste la fin du monde. Nous, les héros. Jean-Luc Lagarce*, *op. cit.*, et revu par François Berreur.

■ Répétition pour la mise en scène de François Berreur au théâtre de la Cité internationale, 2007, avec Hervé Pierre (Louis).
Louis porte un smoking digne d'un maître des cérémonies.

Le choix des costumes

« Je pense que la structure de la pièce a à voir avec le music-hall [1]. Pour moi, c'est comme si toutes les scènes qui suivent le prologue étaient des numéros. Louis présente au public les numéros de sa famille. [...] Ainsi, Hervé [Pierre] est habillé comme s'il sortait du festival de Cannes. Smoking. »

Extrait de la note d'intention de François Berreur [2]

La tricherie comme ultime vérité

« C'est là l'immense force de ce texte, laisser le mépris ou la condescendance [3] pour accepter la vie des autres, et même s'il a le pouvoir de les écrire, ne pas tricher c'est accepter d'en percevoir le détail, la richesse et la pauvreté, accepter que ces vies si lointaines, que l'on n'aurait jamais voulues pour soi, puissent être belles, héroïques, romanesques avec, elles aussi, leurs secrètes douleurs.

Le paradoxe c'est que c'est bien la tricherie qui est réclamée par chacun, pour son jeu de masques et ses possibilités de rêves ou de fuites. »

Questions

1. Citez quelques passages précis de la pièce où apparaît le thème de la « tricherie » évoqué par François Berreur.

2. Reformulez la raison pour laquelle le metteur en scène choisit un smoking pour le personnage de Louis. Qu'en pensez-vous ? Vous justifierez votre point de vue en vous appuyant sur votre lecture de la pièce.

---

1. ***Music-hall*** : ancien spectacle de variétés, composé de chant, de numéros comiques, et parfois de numéros de cirque.

2. Reproduite sur le site theatrecontemporain.net, à l'adresse suivante : www.theatre-contemporain.net/spectacles/Juste-La-Fin-Du-Monde-FB/ensavoir plus/idcontent/1939.

3. ***La condescendance*** : le sentiment de supériorité.

3. Quels sont les personnages qui réclament respectivement des « possibilités de rêves » et « de fuites » dans la pièce ?

4. En parlant des personnages de la pièce, François Berreur évoque leurs existences « lointaines, que l'on n'aurait jamais voulues pour soi ». En quoi Louis mène-t-il une vie différente des autres membres de la famille ? Êtes-vous d'accord pour dire que ces dernières sont pourtant « belles, héroïques, romanesques avec, elles aussi, leurs secrètes douleurs » ?

La mise en scène de Michel Raskine (2008, Comédie-Française)

Dans sa mise en scène à la Comédie-Française (voir Cahier photos, p. II), Michel Raskine (acteur et metteur en scène né en 1951) réinvente le rapport au public : dans l'emblématique salle Richelieu, bâtie à l'italienne [1], il prolonge l'espace scénique grâce à une avant-scène, devant le rideau de scène, qui occupe les quatre premiers rangs de l'orchestre.

Extraits de « Une faille de chagrin au milieu du Français », entretien avec Michel Raskine [2]

L'espace scénique

« Le lieu de l'histoire c'est donc la salle : on joue devant le rideau de scène, on n'utilise pas la scène. […] L'espace fictionnel est le théâtre lui-même, où quelqu'un raconte son histoire. […]

Sur un rideau sera projeté un portrait filmé du fils, gigantesque, oppressant. Louis entre par là, il traverse sa propre image. Le plateau, c'est un sol banal, avec une mosaïque de cartes postales posées

---

1. ***À l'italienne*** : référence aux salles de théâtre construites en demi-cercle où les spectateurs sont placés à plusieurs niveaux (orchestre, corbeilles, balcons).
2. Reproduit dans Bertrand Chauvet et Éric Duchâtel, *Juste la fin du monde. Nous, les héros. Jean-Luc Lagarce*, *op. cit*, p. 87-90.

à même le sol. Puis le rideau s'ouvre, on découvre une estrade, comme un tribunal, meublée de cinq chaises d'école [...]. »

Le choix des costumes

« Un de mes fils rouges c'est que Louis est en deuil de lui-même : il est habillé comme pour son propre enterrement, costume noir, chemise blanche, cravate noire, un peu chic, un peu démodé. »

La mise en scène de l'intermède

« Je ne sais pas encore : c'est un bien étrange intermède ! Je le voudrais de l'ordre du conte, du fantastique. Je vais sans doute utiliser des images filmées, pour suggérer une vision d'enfant. »

Extraits de la note d'intention de Michel Raskine [1]

Louis, personnage et narrateur

« [Louis] est à la fois le héros de la pièce et le narrateur. C'est à la campagne, dans la maison de la Mère et de Suzanne, mais nous sommes avant tout au théâtre. Louis nous parle, il est le conteur. Impossible de nous installer dans un récit naturaliste, dans une reproduction du réel. Lagarce écrit une pièce où est incluse à chaque scène la question de la théâtralité et de la représentation. Les personnages de la pièce n'ignorent jamais que le public est dans la salle. [...] »

La crise familiale

« La famille nous constitue. On n'y échappe pas. On y est comme "condamné". Est-ce le sort qui nous la donne, est-ce que nous nous la fabriquons ? [...] Aucune famille ne peut être tranquille. Toutes les familles sont des volcans. Les noyaux familiaux les plus

---

1. Reproduite sur le site theatrecontemporain.net, à l'adresse suivante : www.theatre-contemporain.net/spectacles/Juste-la-fin-du-monde-2840/ensavoirplus/idcontent/5681.

■ Répétition pour la mise en scène de Michel Raskine à la Comédie-Française, 2008, avec Pierre Louis-Calixte (Louis).
Le nom des personnages, comme ici celui de Louis, est inscrit sur le dos de chaises d'écoliers.

harmonieux et les plus soudés traversent des épreuves, des crispations, des douleurs, des silences, des non-dits, des secrets, des tensions, des conflits, des drames, et des deuils… Dans la pièce *Le Pays lointain*, dont *Juste la fin du monde* est la matrice originelle, apparaît l'autre famille, celle inventée par Louis, sa famille d'adoption. Toutes les familles connaissent les variations qui vont du rejet à la réconciliation. L'abandon et le retour sont les deux thèmes primordiaux de l'œuvre de Lagarce. En cela, *Juste la fin du monde* est bien "une pièce qui fait du chagrin". Elle bouscule, bouleverse, elle atteint. Jean-Luc Lagarce nous livre la complexité formidable des rapports humains, et nous laisse sans réponse. Ce théâtre-là sollicite notre intelligence et notre émotion de la même manière. »

Questions

1. Quel choix dans l'organisation de l'espace scénique Michel Raskine fait-il ? Selon vous, quel peut être l'effet produit sur le spectateur ?

2. En quoi le choix du costume de Louis invite-t-il à une réinterprétation de la pièce ?

3. Dans sa note d'intention, Michel Raskine affirme à propos de *Juste la fin du monde* : « nous sommes avant tout au théâtre ». Reformulez cette idée avec vos propres mots.

4. Comment comprenez-vous la phrase « Toutes les familles sont des volcans » ? En quoi s'applique-t-elle à la pièce ?

Un livre, un film

Juste la fin du monde, de Xavier Dolan (France-Canada, 2016)

En 2016, l'adaptation à l'écran de *Juste la fin du monde* par le réalisateur québécois Xavier Dolan reçoit le Grand Prix du festival de Cannes ainsi que de nombreuses autres distinctions prestigieuses. L'univers du cinéaste et celui du dramaturge sont traversés par des thèmes communs : le retour, le passé et, surtout, les relations familiales conflictuelles. Mais alors que Lagarce opte pour un théâtre intime et sobre pour explorer la complexité des personnages qu'il met en scène, le cinéaste déploie un lyrisme exalté, s'appuyant notamment sur une bande sonore très présente pour amplifier les émotions du spectateur. Quant à l'intrigue de la pièce, Xavier Dolan s'est inspiré de sa trame narrative mais il a adapté le texte d'origine pour proposer une nouvelle lecture de l'œuvre.

Avant le visionnage

1. Effectuez quelques recherches sur la vie et la filmographie de Xavier Dolan.

2. Avant la projection du film, visionnez la bande-annonce officielle. Complétez le tableau suivant sur la distribution des acteurs puis commentez-la. Est-ce conforme à ce que vous imaginiez à la lecture de la pièce (âge, physique des personnages...) ? Justifiez votre réponse en essayant d'expliquer en quoi les choix du réalisateur proposent une certaine interprétation de l'œuvre.

Personnages		Suzanne		Catherine	
Acteurs	Gaspard Ulliel		Vincent Cassel		Nathalie Baye

Analyses de séquences

EXTRAIT N° 1 : le retour de Louis (de 38 sec à 7 min)

3. « Quelque part, il y a quelque temps déjà » : en quoi cette indication spatio-temporelle rappelle-t-elle la didascalie initiale de la pièce ? Quel en est l'intérêt ?

4. À quelle scène de la pièce ces premières images correspondent-elles ?

5. Relevez les indices (sons, décor, lumière...) qui vous permettent de situer l'action. Quelle information le moyen de transport emprunté par Louis nous donne-t-il ? Est-ce ce que vous aviez imaginé en lisant la pièce ?

6. Les premières répliques de Louis sont prononcées en voix off, c'est-à-dire qu'on entend la voix de l'acteur alors qu'il ne parle pas dans la scène filmée. Dans quelle mesure ce parti pris cinématographique adapte-t-il le dispositif du prologue ?

7. Les paroles de Louis sont-elles fidèles au texte de la pièce de théâtre ? Que remarquez-vous ?

8. Le gros plan est majoritairement utilisé pour filmer le personnage dans cette première scène. À votre avis, quel est l'effet recherché ?

9. Un deuxième personnage interagit avec Louis à deux reprises. Qui est-ce ? Que fait-il ? Comment interprétez-vous sa présence et ses gestes ?

10. Relevez la dernière réplique de Louis. À quel temps et à quelle personne le verbe est-il conjugué ? À qui s'adresse-t-il ?

11. Faites une recherche pour identifier le titre de la chanson qui débute à 2 minutes 50. Quel est son lien avec l'histoire ?

12. À la descente de l'avion, décrivez brièvement la succession des plans. Que constatez-vous en ce qui concerne le rythme ? Quel effet cela produit-il sur le spectateur, surtout s'il connaît la pièce ?

13. Pendant le trajet en taxi, une pancarte le long de la route apparaît en gros plan. Qu'est-il écrit ? Pourquoi peut-on qualifier ce choix d'ironique ?

14. Décrivez les différents éléments que l'on découvre durant le trajet (paysage, personnages, interactions avec Louis). Sur quoi mettent-ils l'accent ?

15. Pendant cette séquence, les plans montrant l'arrivée de Louis sont juxtaposés avec des plans rapprochés sur les mains d'un autre personnage. Qui est-ce, à votre avis ? Qu'est-il en train de faire ?

16. Lorsque le taxi s'arrête, quelles sont les différentes réactions des personnages ? Commentez-les à la lumière de votre connaissance de la pièce.

EXTRAIT N° 2 : de l'art de la conversation (de 7 min à 18 min 39)

17. Comment Antoine se comporte-t-il ? Justifiez votre réponse à l'aide d'éléments précis (gestuelle, manière de parler, regards...).

18. Quel est le rôle de Catherine dans la scène des « photos de famille » ? Que font les autres personnages ?

19. Xavier Dolan introduit un décrochage par rapport à la scène collective : les voix deviennent brouillées en arrière-plan, on remarque un effet de ralenti ainsi que l'introduction d'une musique instrumentale. Grâce à une technique appelée le champ-contrechamp, le spectateur voit successivement le visage de Catherine et celui de Louis. Observez attentivement les expressions de chacun des personnages. Que suggèrent-elles ? En quoi est-ce un choix radical par rapport à la pièce ?

20. « Si t'as envie de t'exprimer, [...] parle », s'énerve Antoine ; « Catherine, continue », répète la Mère à deux reprises ; « C'est pas ce que je voulais dire, Martine », se défend Catherine ; « Exprime-toi Catherine, exprime-toi », encourage la Mère, « explique-lui, à Louis », demande Antoine : en quoi ces répliques ajoutées rappellent-elles certains dialogues de la pièce ?

EXTRAIT N° 3 : les confidences dans la chambre de Suzanne (de 18 min 39 à 27 min 29)

21. Relevez tous les éléments (décor, musique, attitudes, manière de parler...) qui rappellent au spectateur l'âge de Suzanne.

22. Cette scène donne plusieurs détails, en apparence anodins, qui se révèlent être de touchantes preuves d'amour de la part de Suzanne, lesquels ? Louis les perçoit-il ?

23. Décrivez et commentez l'évolution de l'attitude de Louis tout au long de cette scène.

24. Le spectateur assiste à un flash-back, c'est-à-dire à un retour en arrière par rapport à l'action en cours, dans lequel on peut voir Suzanne et la Mère en voiture. Ces images illustrent-elles le discours de Suzanne ?

EXTRAIT N° 4 : parler entre frères (de 1 h 06 à 1 h 16)

25. Lorsque Louis rejoint Antoine à l'extérieur de la maison, comment les personnages sont-ils filmés ? Quel est l'effet produit ?

26. Comment la scène dans la voiture avec Antoine et Louis est-elle filmée ? En quoi le traitement de cette scène par le cinéaste met-il l'accent sur la tension grandissante entre les frères ?

27. Relevez les différences entre cette séquence du film et la scène équivalente dans la pièce. Que remarquez-vous ?

EXTRAIT N° 5 : un départ précipité (de 1 h 19 à la fin)

28. « J'ai quelque chose à vous dire. Des choses, en fait. » Quelles sont les annonces faites par Louis ? Comment les différents personnages réagissent-ils ? et le spectateur ?

29. « La vérité, c'est que je dois partir. » Pourquoi cette réplique peut-elle être comprise de deux manières différentes par le spectateur ? Pourquoi la réaction d'Antoine précipite-t-elle la scène vers le conflit ?

30. Dans un entretien accordé aux *Cahiers du cinéma*, Xavier Dolan affirme :

« L'enjeu était aussi pour moi de raconter une histoire de A à Z en suivant un arc dramatique en crescendo, ce qui n'est pas exactement le propre de la pièce [...]. La deuxième partie est une pure abstraction. Mais moi au cinéma j'ai besoin d'une structure narrative et dramatique continue, qui monte jusqu'à un paroxysme. Le défi était de donner une structure à cette deuxième partie, de prolonger narrativement la première. De continuer l'histoire. [...] j'avais besoin de raconter une histoire [1]. »

Selon vous, ce passage constitue-t-il le paroxysme de l'action auquel fait référence Xavier Dolan ? Quels effets cinématographiques renforcent encore la tension dramatique ?

31. Quelles émotions cette séquence peut-elle produire sur le spectateur ? Pourquoi ?

32. Dans la pièce de théâtre, quelle scène peut être qualifiée de « paroxysme » ? Plusieurs réponses sont possibles.

33. Y avait-il eu des signes annonciateurs de l'apparition de l'oiseau ? Comment interprétez-vous cette fin ?

Pour conclure

34. Cette adaptation cinématographique de *Juste la fin du monde* vous paraît-elle réussie ? Pourquoi peut-on dire que Xavier Dolan propose une lecture personnelle de la pièce ? Cette représentation de l'histoire et des personnages vous a-t-elle convaincu(e) ou déçu(e) ? Vous développerez votre point de vue de manière argumentée, en vous appuyant sur des passages ou des éléments précis

1. Stéphane Delorme, « La recherche du temps perdu. Entretien avec Xavier Dolan », *Cahiers du cinéma*, n° 725, 2016.

du film et de la pièce. Vous pourrez vous appuyer, si nécessaire, sur les points de comparaison suivants :
– les différents personnages : Louis, Antoine, Suzanne, Catherine, la Mère ;
– la relation entre Antoine et Louis dans l'enfance ;
– la relation entre Catherine et Louis ;
– la relation entre la Mère et Louis ;
– la maladie de Louis ;
– son statut d'écrivain ;
– l'homosexualité ;
– l'intermède ;
– l'annonce de la mort de Louis ;
– le cri.

35. Dans le même entretien, Xavier Dolan affirme :

« Lagarce construit son écriture sur l'imperfection de la langue. La façon dont on se reprend, dont on se corrige. Pour moi, c'est ce qui confère aux personnages [...] un caractère humain. Il y a une émotion qui naît de leur vulnérabilité, leur faiblesse, leur laideur parfois, leur égoïsme. [...] Les secrets qu'il écrit, les reproches, les maladresses qu'il met dans la bouche des personnages, c'est ce qui fait de *Juste la fin du monde* un objet unique [1]. »

Qu'en pensez-vous ? Vous expliquerez votre point de vue en vous appuyant sur votre connaissance de la pièce de théâtre et du film.

36. De quelle manière Xavier Dolan a-t-il adapté la langue de Lagarce dans son film ? Quelles modifications principales a-t-il opérées ?

---

1. *Ibid.*

■ **Photographie prise sur le tournage de *Juste la fin du monde*, de Xavier Dolan.**
Xavier Dolan consulte les images qui viennent d'être filmées, entouré de Marion Cotillard (Catherine) à gauche et de Nathalie Baye (la Mère) à droite.

GRAND PRIX
FESTIVAL DE CANNES

« Sublime. »
Les Inrocks

« Xavier Dolan signe son film le plus fort. »
Le Monde

« Grandiose. Un petit bijou. »
Konbini

« Magnifique. »
Télérama

« Flamboyant. »
20 Minutes

adapté de la pièce de théâtre de JEAN-LUC LAGARCE

JUSTE LA FIN DU MONDE

un film de XAVIER DOLAN

NATHALIE BAYE VINCENT CASSEL MARION COTILLARD
LÉA SEYDOUX GASPARD ULLIEL

france inter

■ Affiche française de *Juste la fin du monde*, de Xavier Dolan.

PARCOURS : « CRISE PERSONNELLE, CRISE FAMILIALE »

La tragédie familiale de l'Antiquité à nos jours (groupement de textes n° 1)

Les récits issus de la mythologie antique mettent en scène des familles – notamment divines – plus ou moins apaisées, dont les liens de parenté complexes sont souvent à l'origine de guerres et de crimes en tout genre. Ces mythes ont inspiré l'intrigue de nombreuses pièces de théâtre, dans lesquelles les relations familiales entrent en conflit avec des enjeux passionnels et moraux, comme dans *Médée* (63-64 apr. J.-C.) de Sénèque et *Phèdre* (1677) de Racine, ou encore avec le pouvoir établi, comme dans *Antigone* (1944) de Jean Anouilh et *Électre des bas-fonds* (2019) de Simon Abkarian. À la différence de *Juste la fin du monde* où la violence reste contenue et l'aveu étouffé, le dénouement de ces tragédies donne lieu aux pires atrocités.

 Sénèque, *Médée* (63-64 apr. J.-C.)

Prête à trahir son père et à tuer son propre frère pour venger celui qu'elle aime, Jason, Médée est un célèbre personnage criminel et un exemple de mère monstrueuse dans la mythologie gréco-romaine, qui a donné lieu à plusieurs versions et récritures, dont les plus connues sont celles d'Euripide, de Sénèque, de Corneille et d'Anouilh. Lorsque Médée apprend que Jason entend la répudier pour épouser la fille du roi, furieuse, elle décide de se venger...

Cinquième mouvement : épilogue

JASON. – La voici, c'est elle, qui se tient penchée sur le bord du toit, qu'on lance là des brandons [1] enflammés pour qu'elle tombe et soit consumée par ses propres flammes.

MÉDÉE. – Prépare l'ultime bûcher destiné à tes enfants, Jason, et élève leur tombeau : ton épouse et ton beau-père ont reçu les derniers honneurs ; ils ont été ensevelis par mes soins : cet enfant a déjà subi son destin fatal, l'autre va, sous tes propres yeux, être livré à un sort semblable.

JASON. – Au nom de toutes les puissances divines, au nom de notre exil commun et de cet hymen [2] dont je n'ai pas brisé les liens par un manquement volontaire, épargne maintenant notre enfant. S'il est matière à accusation, c'est moi qui en suis cause. Je me livre à la mort ; immole [3] ma tête criminelle.

MÉDÉE. – Sur ce que tu veux soustraire à mes coups, à l'endroit où tu souffres, je vais enfoncer l'épée. Va, maintenant, orgueilleux, gagne les couches des vierges [4]. Quitte celles des mères.

JASON. – Un seul suffit à ta vengeance.

MÉDÉE. – Si ma main pouvait se contenter d'un seul meurtre, je n'aurais pas cherché à en commettre. Même si j'en tue deux, ce nombre est encore restreint pour assouvir mon ressentiment [5]. Si dans mon sein maternel se cache encore maintenant quelque gage de notre amour, je fouillerai mes entrailles avec l'épée et le fer l'extirpera.

JASON. – Achève maintenant le forfait [6] entrepris, ce sera ma dernière prière, accorde-moi la faveur de ne pas prolonger les supplices que j'endure.

---

1. ***Brandons*** : torches grossières.
2. ***Cet hymen*** : ce mariage.
3. ***Immole*** : sacrifie.
4. ***Les couches des vierges*** : les lits des jeunes filles non mariées et sans enfants, contrairement à Médée.
5. ***Ressentiment*** : voir note 1, p. 124.
6. ***Forfait*** : crime.

MÉDÉE. – Jouis lentement de ton crime, ne te hâte point, Ô ma rancœur : j'ai droit à une journée, je profite du temps qu'on m'a accordé.

JASON. – Tue-moi, cruelle ennemie !

MÉDÉE. – Tu m'invites à avoir pitié de toi. C'est parfait, tout est accompli. Je n'avais pas davantage, ma rancœur, à te sacrifier. Lève vers moi tes yeux tout gonflés [1], ingrat Jason. Reconnais-tu ton épouse ? C'est ainsi que j'ai coutume de fuir [2]. La voie est ouverte maintenant devant moi vers le ciel, deux serpents sont là qui ont placé leurs cous écailleux sous le joug [3]. Reprends maintenant possession de tes enfants, toi leur père : je vais m'envoler dans les airs, emportée par mon char ailé.

JASON. – Parcours les hautes régions éthérées [4] du ciel, porte témoignage que, là où tu passes, il n'y a point de dieux.

Sénèque, *Médée*, trad. Charles Guittard,
Flammarion, coll. « GF », 1997,
V, p. 87-88.

Questions

1. Que désignent les expressions « mon sein » et « mes entrailles » ? Comment appelle-t-on cette figure de style et, d'après vous, pourquoi est-elle employée ici ?

2. Dans quel but Médée tue-t-elle ses propres enfants ? Justifiez votre réponse par des citations du texte.

3. « Reconnais-tu ton épouse ? » demande Médée à Jason. Dressez un portrait du personnage d'après cet extrait.

---

1. ***Tout gonflés*** : par les larmes ou l'orgueil, selon les interprétations.
2. Médée fait ici allusion à son départ de Colchide après avoir tué son frère, et à son départ de Thessalie après le meurtre de son père.
3. ***Joug*** : pièce de bois qui maintenant côte à côte les animaux qui tirent une charrue ; symbole d'oppression et de tyrannie.
4. ***Éthérées*** : élevées ; on pensait dans l'Antiquité que les couches les plus hautes du ciel contenaient de l'éther.

4. En quoi peut-on dire que la « crise personnelle » de Médée, sa jalousie, entraîne une « crise familiale » ? Vous développerez votre réponse en vous appuyant sur votre connaissance du contexte et votre lecture du texte.

 Racine, *Phèdre* (1677)

Alors que l'absence de Thésée, qui n'est pas revenu des combats, inquiète la cour, Phèdre, la reine, semble mourir d'un mal mystérieux... C'est qu'elle aime le fils de son mari, Hippolyte, auquel elle finit par avouer sa passion. Mais quand Thésée réapparaît, elle ment et accuse Hippolyte de cet amour incestueux et coupable. Dans le passage suivant, Hippolyte va à la rencontre de son père, sans savoir que ce dernier s'est laissé convaincre par le terrible mensonge de Phèdre.

Acte IV, scène 2

THÉSÉE

Ah ! le voici. Grands dieux ! À ce noble maintien
Quel œil ne serait pas trompé comme le mien ?
Faut-il que sur le front d'un profane adultère [1]
Brille de la vertu le sacré caractère ?
Et ne devrait-on pas à des signes certains
Reconnaître le cœur des perfides [2] humains ?

HIPPOLYTE

Puis-je vous demander quel funeste nuage,
Seigneur, a pu troubler votre auguste visage ?

---

1. ***Profane adultère*** : l'expression désigne ici le prétendu amour incestueux d'Hippolyte pour sa belle-mère Phèdre.
2. ***Perfides*** : sournois et déloyaux.

N'osez-vous confier ce secret à ma foi ?

THÉSÉE

Perfide, oses-tu bien te montrer devant moi ?
Monstre, qu'a trop longtemps épargné le tonnerre,
Reste impur des brigands dont j'ai purgé la terre,
Après que le transport d'un amour plein d'horreur
Jusqu'au lit de ton père a porté sa fureur,
Tu m'oses présenter une tête ennemie,
Tu parais dans des lieux pleins de ton infamie [1],
Et ne vas pas chercher, sous un ciel inconnu,
Des pays où mon nom ne soit point parvenu !
Fuis, traître. Ne viens point braver ici ma haine,
Et tenter un courroux [2] que je retiens à peine.
C'est bien assez pour moi de l'opprobre [3] éternel
D'avoir pu mettre au jour un fils si criminel,
Sans que ta mort encor, honteuse à ma mémoire,
De mes nobles travaux vienne souiller la gloire.
Fuis. Et si tu ne veux qu'un châtiment soudain
T'ajoute aux scélérats qu'a punis cette main,
Prends garde que jamais l'astre qui nous éclaire
Ne te voie en ces lieux mettre un pied téméraire.
Fuis, dis-je ; et sans retour précipitant tes pas,
De ton horrible aspect purge tous mes États.
Et toi, Neptune [4], et toi, si jadis mon courage
D'infâmes assassins nettoya ton rivage,
Souviens-toi que pour prix de mes efforts heureux
Tu promis d'exaucer le premier de mes vœux.
Dans les longues rigueurs d'une prison cruelle
Je n'ai point imploré ta puissance immortelle.
Avare du secours que j'attends de tes soins

1. ***Ton infamie*** : terme très fort qui désigne une action déshonorante.
2. ***Un courroux*** : une puissante colère.
3. ***L'opprobre*** : l'humiliation.
4. ***Neptune*** : dieu romain de la Mer.

Mes vœux t'ont réservé pour de plus grands besoins.
Je t'implore aujourd'hui. Venge un malheureux père.
J'abandonne ce traître à toute ta colère ;
Étouffe dans son sang ses désirs effrontés.
Thésée à tes fureurs connaîtra tes bontés.

HIPPOLYTE

D'un amour criminel Phèdre accuse Hippolyte ?
Un tel excès d'horreur rend mon âme interdite [1] ;
Tant de coups imprévus m'accablent [2] à la fois,
Qu'ils m'ôtent la parole, et m'étouffent la voix.

THÉSÉE

Traître, tu prétendais qu'en un lâche silence,
Phèdre ensevelirait ta brutale insolence.
Il fallait, en fuyant, ne pas abandonner
Le fer, qui dans ses mains aide à te condamner.
Ou plutôt il fallait, comblant ta perfidie,
Lui ravir tout d'un coup la parole et la vie.

HIPPOLYTE

D'un mensonge si noir justement irrité,
Je devrais faire ici parler la vérité,
Seigneur. Mais je supprime un secret qui vous touche.
Approuvez le respect qui me ferme la bouche ;
Et sans vouloir vous-même augmenter vos ennuis,
Examinez ma vie, et songez qui je suis. […]

Jean Racine, *Phèdre*, Flammarion,
coll. « Étonnants Classiques »,
2019, IV, 2, p. 113-115.

---

1. ***Interdite*** : stupéfaite.
2. ***M'accablent*** : voir note 1, p. 123.

Questions

1. En quoi la première réplique de Thésée donne-t-elle des indications pour le jeu des comédiens ?

2. Quel est le type de phrases employé par Hippolyte pour lui répondre ? Pourquoi ?

3. De « Et toi » à « connaîtra tes bontés », à qui Thésée s'adresse-t-il ? Que lui demande-t-il ?

4. À quel dilemme Hippolyte est-il confronté dans sa dernière réplique ?

Anouilh, *Antigone* (1944)

Dans la ville de Thèbes, après la mort d'Œdipe, ses deux fils, Polynice et Étéocle, décident de régner chacun un an. Mais au terme de la première année, Étéocle refuse de quitter le trône... et les deux frères s'entre-tuent. Une fois Créon, leur oncle, arrivé au pouvoir, il ordonne qu'on rende hommage à Étéocle, mort en défendant sa patrie tandis que Polynice, le « traître », celui qui a levé une armée contre le gouvernement en place, doit servir d'exemple et être laissé sans sépulture. Un choix qu'Antigone, contrairement à sa sœur Ismène, plus docile, refuse catégoriquement, jugeant qu'il est de son devoir d'enterrer son frère.

ISMÈNE. – Tu es malade ?

ANTIGONE. – Ce n'est rien. Un peu de fatigue. *(Elle sourit.)* C'est parce que je me suis levée tôt.

ISMÈNE. – Moi non plus je n'ai pas dormi.

ANTIGONE, *sourit encore.* – Il faut que tu dormes. Tu serais moins belle demain.

ISMÈNE. – Ne te moque pas.

ANTIGONE. – Je ne me moque pas. Cela me rassure ce matin, que tu sois belle. Quand j'étais petite, j'étais si malheureuse, tu te souviens ? Je te barbouillais de terre, je te mettais des vers dans le cou. Une fois je t'ai attachée à un arbre et je t'ai coupé tes cheveux, tes beaux cheveux… *(Elle caresse les cheveux d'Ismène.)* Comme cela doit être facile de ne pas penser de bêtises avec toutes ces belles mèches lisses et bien ordonnées autour de la tête !

ISMÈNE, *soudain.* – Pourquoi parles-tu d'autre chose ?

ANTIGONE, *doucement, sans cesser de lui caresser les cheveux.* – Je ne parle pas d'autre chose…

ISMÈNE. – Tu sais, j'ai bien pensé, Antigone.

ANTIGONE. – Oui.

ISMÈNE. – J'ai bien pensé toute la nuit. Tu es folle.

ANTIGONE. – Oui.

ISMÈNE. – Nous ne pouvons pas.

ANTIGONE, *après un silence, de sa petite voix.* – Pourquoi ?

ISMÈNE. – Il nous ferait mourir.

ANTIGONE. – Bien sûr. À chacun son rôle. Lui, il doit nous faire mourir, et nous, nous devons aller enterrer notre frère. C'est comme cela que ç'a été distribué. Qu'est-ce que tu veux que nous y fassions ?

ISMÈNE. – Je ne veux pas mourir.

ANTIGONE, *doucement.* – Moi aussi j'aurais bien voulu ne pas mourir.

ISMÈNE. – Écoute, j'ai bien réfléchi toute la nuit. Je suis l'aînée. Je réfléchis plus que toi. Toi, c'est ce qui te passe par la tête tout de suite, et tant pis si c'est une bêtise. Moi, je suis plus pondérée. Je réfléchis.

ANTIGONE. – Il y a des fois où il ne faut pas trop réfléchir.

ISMÈNE. – Si, Antigone. D'abord c'est horrible, bien sûr, et j'ai pitié moi aussi de mon frère, mais je comprends un peu notre oncle.

ANTIGONE. – Moi je ne veux pas comprendre un peu.

ISMÈNE. – Il est le roi, il faut qu'il donne l'exemple.

ANTIGONE. – Moi, je ne suis pas le roi. Il ne faut pas que je donne l'exemple, moi… Ce qui lui passe par la tête, la petite Antigone, la sale bête, l'entêtée, la mauvaise, et puis on la met dans un coin ou dans un trou. Et c'est bien fait pour elle. Elle n'avait qu'à ne pas désobéir !

Jean Anouilh, *Antigone*, © Éditions de La Table ronde, coll. « La Petite Vermillon », 1946 ; rééd. 2016, p. 22-25.

Questions

1. Relevez la réplique d'Antigone qui résume l'intrigue et révèle la manière dont la fatalité de la tragédie familiale pèse sur chacun des personnages. En vous aidant du contexte et de votre lecture du passage, explicitez ces phrases avec vos propres mots.

2. D'après Ismène, quel rôle devrait-elle avoir en tant qu'aînée des deux sœurs ? Remplit-elle cette fonction d'après vous ? Justifiez votre réponse en vous appuyant sur des éléments du texte.

3. En vous appuyant sur le contexte et sur votre lecture de la scène, expliquez en quoi le personnage d'Antigone se trouve face à un dilemme moral : enterrer son frère ou obéir à la loi dictée par le roi, son oncle. En quoi peut-on dire que la crise familiale est étroitement liée à la crise politique ?

Abkarian, *Électre des bas-fonds* (2019)

Électre des bas-fonds reprend l'histoire du personnage mythique éponyme : Électre, fille d'Agamemnon et de Clytemnestre, hait sa mère et l'accuse d'avoir orchestré le meurtre de son père avec l'aide de son amant Égisthe, désormais régent du trône. Elle attend la venue de son frère Oreste pour se venger. Dans cette récriture du mythe, Simon Abkarian représente Clytemnestre en mère éplorée.

ORESTE. – Parle je t'écoute.
CLYTEMNESTRE. – Je parlerai sans détours.

Sans feinte je dirai l'histoire de ma douleur.
Mais si tu dois m'écouter, n'oublie pas qui je suis.

ORESTE. – On dit que tu es ma mère, tueuse de mon père.

CLYTEMNESTRE. – Rappelle-toi pourquoi je l'ai tué.

ORESTE. – La mort de ta fille [1] n'excuse pas la mort d'un tel héros.

CLYTEMNESTRE. – Ne dis pas « ta fille » comme s'il était question d'une chèvre.
Quand à celui que tu appelles héros je vais te dire qui il était vraiment.

ORESTE. – Cette sœur dont tu parles, je ne la connais pas.

CLYTEMNESTRE. – Et ce père que tu voudrais venger, le connais-tu ?
Tu ne dis rien ?
Non, que pourrais-tu dire ?
Quand tu dis « père » tu ne sais pas de quoi tu parles.
Iphigénie était ma fille, le soleil de mes yeux.
À elle seule elle incarnait tous les printemps, passés et à venir.
Sa grâce faisait trembler les hommes.
Ce que ton père a tué c'était Aphrodite [2] dans le corps d'une enfant.
En immolant sa propre fille, il voulait ébranler les Troyens, jusqu'à les massacrer sans fin.
Fallait-il qu'il mesure sa détermination en plongeant le glaive de son ambition dans la gorge de ma fille ?
Fallait-il que le roi l'emporte sur le père ?
Fallait-il qu'il sacre le printemps de mon enfant en lui ouvrant la gorge ?
[...]

ORESTE. – Tu dis qu'il a tué ma sœur pour satisfaire son ambition,
Mais toi pourquoi l'as-tu tué si ce n'est pour assouvir la tienne ?

---

1. ***La mort de ta fille*** : Oreste fait ici référence à sa sœur Iphigénie, sacrifiée par leur père Agamemnon pour apaiser Artémis, la déesse des Vents, avant son départ pour la guerre de Troie.

2. ***Aphrodite*** : déesse de l'Amour.

CLYTEMNESTRE. – Mon ambition était de voir grandir ma fille.
En tuant Iphigénie, ton père a armé le bras de mon démon.
Ce matin-là à Aulis, quand il l'égorgea, c'est l'espoir d'un monde meilleur qu'il détruisit.
Oui, je l'ai tué et le tuerai encore.
Celui qui tue une fillette est un fléau pour la race humaine tout entière.

ORESTE. – Tu dis qu'en tuant mon père tu as sauvé le peuple des hommes ?

CLYTEMNESTRE. – Je dis qu'en tuant ton père j'ai rendu justice à la mère que je suis.

ORESTE. – Je te parlais de la race des humains.

Simon Abkarian, *Électre des bas-fonds*,
© Actes Sud, coll. « Papiers », 2019, p. 97-99.

Questions

1. Quel procédé d'écriture accentue la tension dramatique dans ce dialogue entre mère et fils ? Soyez notamment attentif aux types et aux modalités de phrases. Qui semble mener la danse dans cette scène de conflit familial ?

2. Selon Clytemnestre, pourquoi a-t-elle tué son mari ? À travers ses répliques, comment le lecteur-spectateur se la représente-t-il ?

3. Oreste est en désaccord avec elle car, selon lui, les enjeux de ce crime dépassent la sphère familiale. Relevez la réplique qui le prouve.

Vers l'écrit du bac : sujets d'entraînement

A. Commentaire

Vous ferez le commentaire de l'extrait tiré d'*Antigone* d'Anouilh, en vous aidant si nécessaire des axes de lecture suivants. Vous complèterez chaque partie en proposant trois sous-parties que vous illustrerez à l'aide d'exemples et de citations tirés de l'extrait étudié.

I. Une scène d'intimité entre deux sœurs
II. Un dialogue tragique dans une langue poétique
III. Le poids de la tragédie familiale

B. Dissertation

Entre inceste et infanticide, de la mythologie gréco-romaine à Jean-Luc Lagarce, en passant par Shakespeare et Molière, les intrigues théâtrales reposent souvent sur des affrontements familiaux. En quoi la crise familiale est-elle souvent le prétexte d'un questionnement sur des enjeux qui la dépassent ? Pour développer votre démonstration, vous vous appuierez sur votre analyse des textes du corpus (voir aussi le groupement de textes n° 3, p. 199-206) et vos réponses aux précédentes questions, sur votre étude de *Juste la fin du monde* ainsi que sur vos connaissances personnelles.

« Familles, je vous hais ! » : le poids de la famille dans le théâtre du XXe siècle

(groupement de textes n° 2)

Le XXe siècle s'ouvre avec cette exclamation [1] d'André Gide dans son roman *Les Nourritures terrestres* et se poursuit avec le développement de la psychanalyse qui considère que les liens familiaux peuvent être à l'origine de névroses diverses. Désormais, un soupçon

---

1. André Gide, *Les Nourritures terrestres*, Gallimard, coll. « Folio », 2019, livre quatrième, I, p. 67.

pèse sur la sphère familiale… Ne serait-elle pas oppressante, au point qu'il faille s'affranchir de l'autorité parentale, comme dans *La Maison de Bernarda Alba* (1936-1945), de Federico García Lorca ? N'y a-t-il pas un héritage symbolique ou concret à liquider afin de pouvoir vivre sa propre vie, comme dans *Le Retour au désert* (1988), de Bernard-Marie Koltès ? Les secrets et les non-dits ne viennent-ils pas hanter les descendants même après la mort, comme dans *Incendies* (2003), de Wajdi Mouawad, ou parasiter tous les dialogues, comme dans *Marcia Hesse* (2005), de Fabrice Melquiot ?

García Lorca, *La Maison de Bernarda Alba* (1936-1945)

Dans l'Andalousie des années 1930, la vieille Bernarda Alba vit seule avec ses cinq filles (Angustias, Magdalena, Amelia, Martirio et Adela) à la suite du décès de son mari. Pourtant encore jeunes et pleines de vie, ces dernières doivent elles aussi porter le deuil de leur père. Lorsque la mère finit par accepter le mariage de l'aînée, Angustias, avec un jeune homme du village, José, surnommé Pépé el Romano, il devient l'objet de toutes les convoitises, notamment de la plus jeune de la famille, la belle Adela, avec qui naît une liaison amoureuse…

Acte III, scène 11

Martirio ferme la porte par où est sortie Maria Josefa et se dirige vers celle de la cour. Là, elle hésite, fait encore deux pas.

[…]

MARTIRIO, *à haute voix*. – Le moment est venu pour moi de parler. Ce jeu ne peut plus durer.

ADELA. – Il commence à peine. J'ai eu la force de faire le pas. L'audace et le mérite que toi tu n'as pas eus. J'ai vu la mort sous ce toit et je suis sortie pour chercher ce qui était mon bien, ce qui m'appartenait.

MARTIRIO. – Cet homme sans cœur est venu pour une autre. Tu t'es mise sur sa route.

ADELA. – Il est venu pour l'argent, mais toujours ses yeux se posaient sur moi.

MARTIRIO. – Je ne te permettrai pas de le voler. Il se mariera avec Angustias.

ADELA. – Tu sais mieux que moi qu'il ne l'aime pas.

MARTIRIO. – Je le sais.

ADELA. – Tu sais, parce que tu l'as vu, que c'est moi qu'il aime.

MARTIRIO, *désespérée.* – Oui.

ADELA, *s'approchant.* – C'est moi qu'il aime. C'est moi qu'il aime.

MARTIRIO. – Plante-moi un couteau dans la gorge, si tu veux, mais ne répète plus ces mots.

ADELA. – Voilà pourquoi tu veux m'empêcher d'aller avec lui. Cela ne te fait rien s'il embrasse une femme qu'il n'aime pas. À moi non plus. Il pourrait rester cent ans avec Angustias ; mais qu'il m'embrasse, moi… ça te rend malade, parce que tu l'aimes, toi aussi, tu l'aimes.

MARTIRIO, *dramatique.* – Eh bien, oui ! Laisse-moi le dire à visage découvert. Oui ! Et que mon cœur éclate comme une grenade d'amertume. Je l'aime !

ADELA, *dans un élan, la prenant dans ses bras.* – Martirio, Martirio, ce n'est pas ma faute.

MARTIRIO. – Ne me touche pas ! N'essaie pas d'adoucir mes yeux. Mon sang n'est plus le tien. Si même je voulais te regarder comme une sœur, je ne te vois plus maintenant que comme une femme.

Elle la repousse.

ADELA. – Alors, il n'y a plus rien à faire. C'est le sauve-qui-peut. José m'appartient. Il m'amène aux joncs [1] de la rivière.

MARTIRIO. – Jamais !

ADELA. – Je ne supporte plus l'horreur de ces murs après avoir goûté la saveur de sa bouche. Je serai sa chose… tout le village contre moi, me brûlant les doigts de feu… poursuivie par les « honnêtes gens »… Et je me mettrai la couronne d'épines des femmes qui sont aimées par un homme marié.

---

1. ***Joncs*** : plantes qui poussent au bord des cours d'eau.

MARTIRIO. – Tais-toi !

ADELA. – Oui. Oui. *(À voix basse.)* Allons dormir ; qu'il épouse Angustias, cela m'est égal ; pour moi, j'irai vivre dans une cabane isolée où il me verra quand il voudra, quand il en aura envie.

MARTIRIO. – Tant qu'il me reste une goutte de sang dans les veines, cela ne se fera pas.

ADELA. – Ce n'est pas toi, qui es chétive, c'est un cheval cabré que je pourrais mettre à genoux, rien qu'avec la force de mon petit doigt.

MARTIRIO. – N'élève pas cette voix qui m'irrite. J'ai le cœur plein d'une force si mauvaise qu'elle m'étouffe, malgré moi.

ADELA. – On nous apprend à aimer nos sœurs. Dieu a dû me laisser seule dans la nuit, car je te vois comme si je ne t'avais jamais vue.

Coup de sifflet. Adela court à la porte. Martirio se met en travers.

MARTIRIO. – Où vas-tu ?

ADELA. – Ôte-toi de la porte !

MARTIRIO. – Passe si tu peux !

ADELA. – Écarte-toi !

Elles luttent.

MARTIRIO, *criant.* – Mère, mère !

ADELA. – Laisse-moi !

Acte III, scène 12

Apparaît Bernarda (avec sa canne) en jupon et châle noir.

BERNARDA. – Du calme, du calme ! Quelle misère de ne pas tenir la foudre entre les doigts !

MARTIRIO, *désignant Adela.* – Elle a été avec lui ! Regardez ce jupon plein de paille de blé !

BERNARDA. – C'est la couche des filles maudites !

Elle se dirige furieuse vers Adela.

ADELA, *lui faisant front.* – Fini, le bagne ! Finis, les ordres ! *(Adela lui arrache sa canne et la casse en deux.)* Tiens, voilà ce que j'en fais, de la tyrannie ! Plus un pas ! Personne d'autre ne me commande que José.
MAGDALENA, *entrant.* – Adela !

Entrent la Poncia et Angustias.

ADELA. – Je suis sa femme. *(À Angustias.)* Sache-le ; va dans la cour le lui demander. C'est lui qui dominera sur toute cette maison. Il est là, dehors, qui souffle comme un lion.
ANGUSTIAS. – Mon Dieu !
BERNARDA. – Le fusil ! Où est le fusil ?

Elle sort en courant.
La Poncia la suit. Amelia apparaît dans le fond ; elle regarde la scène, atterrée, la tête contre le mur. Martirio sort également.

ADELA. – Personne ne me courbera !

Elle se prépare à sortir.

ANGUSTIAS, *la retenant.* – D'ici tu ne sortiras pas avec ton corps triomphant. Voleuse ! Opprobre [1] de notre maison !
MAGDALENA. – Laisse-la partir, qu'on ne la revoie plus !

Un coup de feu.

BERNARDA, *entrant.* – Ose maintenant le chercher.
MARTIRIO, *rentrant.* – Tu peux lui dire adieu !
ADELA. – José ! Mon Dieu ! José !

Elle sort en courant.

Federico García Lorca, *La Maison de Bernarda Alba*,
trad. André Belamich, © Éditions Gallimard,
coll. « Bibliothèque de la Pléiade », 1990,
III, 11 et 12, p. 691-694.

---

1. Opprobre : voir note 3, p. 179.

Questions

1. Pour quelles raisons Martirio et Adela s'affrontent-elles au début de la scène ?

2. Quelle réplique constitue un tournant dans le dialogue entre les deux sœurs ?

3. Relevez des éléments du texte qui révèlent le crescendo dramatique dans le conflit qui oppose les deux sœurs.

4. Relevez et analysez les répliques d'Adela qui montrent que le personnage se libère progressivement du poids de l'autorité familiale.

5. Effectuez une recherche pour savoir comment se termine la pièce. D'après cette œuvre, peut-on s'affranchir de sa famille ?

Koltès, *Le Retour au désert* (1988)

Début des années 1960, en France. Mathilde, après quinze ans passés en Algérie, revient dans la demeure familiale accompagnée de ses enfants, Édouard et Fatima. Elle y retrouve son frère Adrien, sa femme et leur fils. Mathilde vient habiter la maison dont elle a hérité jadis de son père tandis qu'Adrien recevait l'usine familiale désormais au bord de la faillite. Alors que le frère et la sœur règlent les comptes du passé, leurs enfants se retrouvent malgré eux témoins d'un conflit qui les dépasse.

ADRIEN. – Tu crois, pauvre folle, que tu peux défier le monde ? Qui es-tu pour provoquer tous les gens honorables ? Qui penses-tu être pour bafouer les bonnes manières, critiquer les habitudes des autres, accuser, calomnier, injurier le monde entier ? Tu n'es qu'une femme, une femme sans fortune, une mère célibataire, une fille-mère, et, il y a peu de temps encore, tu aurais été bannie de la société, on te cracherait au visage et on t'enfermerait dans une pièce secrète pour faire comme si tu n'existais pas. Que viens-tu revendiquer ? Oui, notre père t'a forcée à dîner à genoux pendant un an à cause de ton péché, mais la peine n'était pas assez sévère, non. Aujourd'hui encore, c'est à genoux que tu devrais manger à notre table, à genoux que tu devrais me parler, à genoux devant ma femme, devant Maame Queuleu, devant tes enfants. Pour qui te prends-tu, pour qui nous prends-tu, pour sans cesse nous maudire et nous défier ?

MATHILDE. – Eh bien, oui, je te défie, Adrien ; et avec toi ton fils, et ce qui te sert de femme. Je vous défie, vous tous dans cette maison, et je défie le jardin qui l'entoure et l'arbre sous lequel ma fille se damne, et le mur qui entoure le jardin. Je vous défie, l'air que vous respirez, la pluie qui tombe sur vos têtes, la terre sur laquelle vous marchez ; je défie cette ville, chacune de ses rues et chacune de ses maisons ; je défie le fleuve qui la traverse, le canal et les péniches sur le canal, je défie le ciel qui est au-dessus de vos têtes, les oiseaux dans le ciel, les morts dans la terre, les morts mélangés à la terre et les enfants dans le ventre de leurs mères. Et, si je le fais, c'est parce que je sais que je suis plus solide que vous tous, Adrien.

Aziz[1] *entraîne Adrien, Édouard entraîne Mathilde. Mais ils s'échappent et reviennent.*

MATHILDE. – Car sans doute l'usine ne m'appartient-elle pas, mais c'est parce que je n'en ai pas voulu, parce qu'une usine fait faillite plus vite qu'une maison ne tombe en ruine, et que cette maison tiendra encore après ma mort et après celle de mes enfants, tandis que ton enfant se promènera dans des hangars déserts où coulera la pluie en disant : C'est à moi, c'est à moi. Non, l'usine ne m'appartient pas, mais cette maison est à moi et, parce qu'elle est à moi, je décide que tu la quitteras demain. Tu prendras tes valises, ton fils, et le reste, surtout le reste, et tu iras vivre dans tes hangars, dans tes bureaux dont les murs se lézardent, dans le fouillis des stocks en pourriture. Demain je serai chez moi.

---

1. ***Aziz*** : il s'agit d'un employé de la maison d'Adrien.

ADRIEN. – Quelle pourriture ? Quelles lézardes ? Quelles ruines ? Mon chiffre d'affaires est au plus haut. Crois-tu que j'ai besoin de cette maison ? Non. Je n'aimais y vivre qu'à cause de notre père, en mémoire de lui, par amour pour lui.

MATHILDE. – Notre père ? De l'amour pour notre père ? La mémoire de notre père, je l'ai mise aux ordures il y a bien longtemps.

ADRIEN. – Ne touche pas à cela, Mathilde. Respecte au moins cela. Cela au moins, ne le salis pas.

MATHILDE. – Non, je ne le salirai pas, cela est déjà très sale tout seul.

Bernard-Marie Koltès, *Le Retour au désert*,

Questions

1. En quoi peut-on dire qu'au début de l'extrait Adrien essaie d'humilier sa sœur ? Relevez des éléments précis du texte pour justifier votre réponse.

2. Pour répondre à l'affront de son frère, Mathilde a des répliques dignes d'une héroïne de tragédie. Citez des éléments précis du texte qui vont dans le sens de cette hypothèse.

3. En vous appuyant sur le contexte de la pièce, quel est le sous-entendu de la dernière réplique ?

Mouawad, *Incendies* (2003)

À la mort de Nawal, le notaire Hermile Lebel révèle à ses enfants, Jeanne et Simon Marwan, les dernières volontés de leur mère. Il leur confie deux enveloppes : l'une est à remettre à leur père, qu'ils croyaient mort, et l'autre est destinée à leur frère, dont ils ignoraient l'existence. Les jumeaux partent alors en quête du passé de leur mère, entre le Québec et le Liban, sur les traces d'une histoire familiale douloureuse...

Scène 2 : Dernières volontés

HERMILE LEBEL. – Écoutez ! Elle est morte ! Votre mère est morte ! Je veux dire que c'est quelqu'un qui est mort. Quelqu'un qu'on ne connaît pas très bien personne, mais quand même, qui a été quelqu'un. Qui a été jeune, qui a été adulte, qui a été vieux puis qui est mort ! Alors il y a sûrement une explication au milieu de tout ça ! Ce n'est pas rien ! Je veux dire, elle a toujours bien vécu toute une vie torieu [1] cette femme-là, ça doit valoir quelque chose quelque part !

SIMON. – Je vais pas pleurer ! Je vous jure que je vais pas pleurer ! Elle est morte ! hey ! On s'en crisse-tu [2], tabarnak [3] ! On s'en crisse-tu qu'elle soit morte ! Je ne lui dois rien, à cette femme-là. Pas une larme, rien ! On dira bien ce qu'on voudra ! Que je n'ai pas pleuré à la mort de ma mère ! Je dirai que ce n'était pas ma mère ! Que ce n'était rien ! On s'en crisse-tu tu penses, on s'en crisse-tu ? Je vais pas commencer à faire semblant ! Pas commencer à la pleurer ! Quand est-ce qu'elle a pleuré pour moi ? Pour Jeanne ? C'est pas un cœur qu'elle avait dans le cœur, c'est une brique. On pleure pas pour une brique, on pleure pas. Pas un cœur ! Une brique, putain, une brique ! Je ne veux plus en entendre parler ! Je ne veux plus rien savoir !

HERMILE LEBEL. – Elle a pourtant émis un souhait à votre égard. Vos prénoms sont là, dans ses dernières volontés...

SIMON. – Big deal [4] ! On est ses enfants et vous en savez plus sur elle que nous ! Big deal que nos prénoms soient là ! Big deal !

---

1. ***Torieu*** : juron québécois pour ponctuer une phrase.
2. ***On s'en crisse-tu*** : qu'est-ce que ça peut nous faire (expression grossière en français québécois).
3. ***Tabarnak*** : juron québécois pour ponctuer une phrase.
4. ***Big deal*** : expression empruntée à l'anglais, qu'on peut traduire ici par « Et alors ? ».

HERMILE LEBEL. – Les enveloppes, le cahier, l'argent…

SIMON. – J'en veux pas de son argent, j'en veux pas de son cahier… Si elle pense m'émouvoir avec son crisse de cahier ! C'est la meilleure, celle-là ! Ses dernières volontés ! Retrouve ton père et ton frère ! Pourquoi elle ne les a pas retrouvés elle-même si c'était si urgent !? Tabarnak ! Pourquoi elle ne s'est pas un peu occupée de nous, crisse, s'il lui fallait absolument un autre fils quelque part ?! Pourquoi dans son putain de testament elle ne dit pas une seule fois le mot *mes enfants* pour parler de nous ?! Le mot *fils*, le mot *fille* ! Je ne suis pas cave [1] ! Je ne suis pas cave ! Pourquoi elle dit les jumeaux ?! « La jumelle le jumeau, enfants sortis de mon ventre », comme si on était un tas de vomissure, un tas de merde qu'elle a été obligée de chier ! Pourquoi ?!

HERMILE LEBEL. – Écoutez, je comprends !

Wajdi Mouawad, *Incendies*, © Actes Sud, coll. « Babel », 2008, 2 : « Dernières volontés », p. 20-21.

Questions

1. Dans quel état d'esprit Simon se trouve-t-il dans ce passage ? Justifiez votre réponse en repérant au moins deux procédés d'écriture qui renforcent cette impression.

2. Quelles informations Simon donne-t-il sur sa famille à travers ses répliques ? Relevez des citations du texte pour justifier votre réponse.

3. Bien que le sujet de la conversation soit la mort de Nawal, la mère de Simon et Jeanne, pourquoi peut-on dire que cette scène est comique ? Sur quels ressorts le rire repose-t-il ?

---

1. *Cave* : bête, idiot (en québécois).

Melquiot, *Marcia Hesse* (2005)

Dans *Marcia Hesse*, une famille se réunit pour fêter le Nouvel An. Chacun joue son rôle et poursuit les conversations habituelles : météo, menu du soir, rencontre amoureuse... Pendant ce temps, Marcia, la fille de Georgia disparue l'année d'avant, déambule dans la maison. Sa présence invisible éveille chez les vivants diverses réactions : règlements de comptes, révélations de blessures secrètes... Dans cet extrait, les convives de Georgia s'apprêtent à passer à table. Interviennent dans cette scène son mari (Henri Reverdy), leur fils (Jérôme), sa sœur et son beau-frère (Angèle et Bertrand Sutter), sa mère (Yvonne), son frère (Franck) et une des amies de Marcia (Juliette Wagner).

JÉRÔME HESSE. – Maman, le chapeau de paille.

Silence.

Georgia Hesse revient, avec le bloc de foie gras.

GEORGIA HESSE. – Bien sûr. Le chapeau de paille. C'est parfait.

ANGÈLE SUTTER. – Jérôme, mon petit –

JÉRÔME HESSE. – Tu voulais que je le descende. Je l'ai descendu. Il est là.

ANGÈLE SUTTER. – Georgia –

HENRI REVERDY. – Diego n'est pas là. Nous ne sommes pas treize, alors le chapeau. Georgia, je t'en prie –

GEORGIA HESSE. – J'allais tout arrêter, avant qu'on ne touche au foie gras j'aurais tout arrêté, je vous aurais fait taire. Diego n'est pas là et nous sommes douze, on pourrait s'accommoder d'un tel chiffre et laisser la superstition à notre porte, parce que douze, c'est si banal d'être douze, mais nous n'avons jamais été douze, jamais, parce que ma petite fille –

HENRI REVERDY. – Chérie.

YVONNE HESSE. – Mais qu'est-ce qu'elle a ?

GEORGIA HESSE. – Maman, tais-toi !

YVONNE HESSE. – J'ai rien dit.

GEORGIA HESSE. – Tu te tais !

YVONNE HESSE. – Tu me parles autrement, je suis ta mère, je vais mourir, après tu pourras me crier dessus tant que tu veux.

FRANCK HESSE. – Maman !

YVONNE HESSE. – Et toi aussi !

ANGÈLE SUTTER. – Maman !

YVONNE HESSE. – Jamais deux sans trois !

JÉRÔME HESSE. – Mamie –

YVONNE HESSE. – Toi, mon chéri, pas la peine de la ramener tout le temps, tu la boucles n'est-ce pas, je dis ce que je veux, j'ai la caution du ciel, je souffre assez comme ça.

BERTRAND SUTTER. – Yvonne, voyons –

JULIETTE WAGNER. – S'il vous plaît –

GEORGIA HESSE. – Je veux que ce chapeau de paille soit avec nous à table, parce que c'était son chapeau de paille. Nous serons treize à table, treize avec ce chapeau, parce que je préfère tourner le dos à la superstition plutôt qu'à ma petite fille. Il est hors de question que nous mangions tous ensemble, comme s'il était normal de manger sans elle à nos côtés, non mais pour qui vous prenez-vous ? Vous pensez vraiment qu'on peut piquer dans cette saloperie de bloc et s'enfler, en faisant semblant d'être heureux ? Je ne suis pas heureuse et je veux vous le dire, vous dire non, je ne suis pas heureuse – Mais, j'ai la tête droite. La tête droite !

HENRI REVERDY. – Georgia –

GEORGIA HESSE. – Henri, tu ne peux pas comprendre –

HENRI REVERDY. – Arrête !

BERTRAND SUTTER. – Henri, voyons !

HENRI REVERDY. – Tous les jours, j'ai droit à ça : tu ne peux pas comprendre ! Ce n'est peut-être pas ma fille, parce qu'en effet ce n'est pas ma fille, je ne peux rien à cela, mais je peux comprendre, parce que je peux tout comprendre. La bioéthique [1] et le calcul de probabilités et Dieu sait que c'est pas simple ! Merde ! Je peux tout comprendre ! Tout !

---

1. ***Bioéthique*** : étude des problèmes moraux soulevés par la recherche biologique, médicale ou génétique.

BERTRAND SUTTER. – Henri –

HENRI REVERDY. – Qu'est-ce qu'il veut, lui ? Je suis gentil, je suis même très gentil, mais y'a un moment où je m'emporte, voilà, je m'emporte, je suis désolé, désolé, c'est – Bref, c'est – Je me calme, je vais me calmer, vite fait, parce que ça me fait perdre mes moyens de m'emporter, comme ça, comme si j'étais méchant et acariâtre[1], moi, alors que je suis si gentil, excusez-moi, Bertrand, qu'est-ce que tu voulais me dire ?

FRANCK HESSE. – Il est minuit.

Silence.

Fabrice Melquiot, *Marcia Hesse*,
© L'Arche Éditeur Paris, 2005, p. 74-76.

Questions

1. Comment appelle-t-on au théâtre l'enchaînement de répliques courtes entre plusieurs personnages ? Quel effet ce procédé d'écriture produit-il dans ce passage ?

2. Quel élément scénique symbolise ce passé que certains personnages ne veulent pas aborder ? Quelle est sa fonction ?

3. Deux personnages se révèlent dans des tirades où ils prennent les autres membres de la famille à témoin, lesquels ? Quelles informations nous donnent-ils sur eux-mêmes et sur les autres personnages ?

Vers l'écrit du bac : sujets d'entraînement

A. Commentaire

Vous ferez le commentaire de l'extrait tiré de *Marcia Hesse* de Fabrice Melquiot, en vous aidant si nécessaire des axes de lecture

---

1. ***Acariâtre*** : constamment de mauvaise humeur.

suivants. Vous compléterez chaque partie en proposant trois sous-parties que vous illustrerez à l'aide d'exemples et de citations tirés de l'extrait étudié.

I. La scène du repas de famille comme déclencheur du conflit
II. Un non-dit difficile à taire
III. Un deuil douloureux

B. Dissertation

Les non-dits et les secrets familiaux constituent-ils des moteurs efficaces de l'action dramatique ? Pour développer votre démonstration, vous vous appuierez sur votre étude de l'œuvre de Jean-Luc Lagarce, sur votre lecture des textes du corpus (voir aussi le groupement de textes n° 1, p. 175-186) ainsi que sur vos connaissances personnelles.

Les retrouvailles familiales en tension chez Lagarce

(groupement de textes n° 3)

Les thèmes du retour et de la famille sont très présents dans le théâtre de Jean-Luc Lagarce. C'est notamment le cas dans les pièces *Juste la fin du monde* (1990), *J'étais dans ma maison et j'attendais que la pluie vienne* (1994) et *Le Pays lointain* (1995). Celles-ci s'ouvrent sur le retour de l'un des personnages dans la maison natale et l'intrigue se noue autour de ces difficiles retrouvailles : les contentieux liés à l'absence, les conversations laissées en suspens, les annonces personnelles à faire sont autant de motifs qui nourrissent la tension dramatique.

Lagarce, *J'étais dans ma maison et j'attendais que la pluie vienne* (1994)

J'étais dans ma maison et j'attendais que la pluie vienne évoque le retour d'un jeune homme dans sa famille, composée de sa mère et de ses quatre sœurs, qui l'attendent depuis de longues années. Lorsqu'il arrive dans la maison familiale, il s'endort. Il ne se réveillera pas de toute la pièce. L'extrait suivant se situe au début de l'œuvre, juste après son arrivée.

LA MÈRE. – Il faut le laisser dormir longtemps, je crois qu'il dormira longtemps et lorsqu'il aura si longtemps dormi, un jour, nous le verrons s'éveiller et ce que nous n'avons pas eu aujourd'hui, *aussitôt*, ce que nous n'avons pas obtenu, ce que nous avions espéré, tant espéré toutes ces années,
qu'il revienne et aussitôt la porte franchie qu'il nous parle et nous aime et nous dise des choses, exactement cela,
qu'il nous dise des choses que nous avions tant espéré entendre, qu'il nous reconnaisse, juste cela, qu'il me reconnaisse et qu'il vous reconnaisse et qu'il fasse le récit de son voyage, tout ce temps perdu, ce que nous n'avons pas eu aujourd'hui, là, à l'instant où il franchit la porte, nous l'entendrons enfin, je ne dois pas m'inquiéter,
il s'éveillera, il aura dormi si longtemps, il s'éveillera, il ne saura plus même où il est, sa chambre, il ne la reconnaîtra pas, il faudra lui dire, nous devrons lui expliquer,
il s'éveillera, exactement cela, comme il s'éveillait lorsqu'il était enfant et nous le verrons nous dire ce qu'il a vécu, nous l'entendrons nous dire ce qu'il a vécu, ce que fut sa vie, son voyage, toutes ces années perdues, car elles furent perdues, toutes ces années perdues. Il s'étonnera.

(Elle rit.)

Nous pourrons commencer à nous plaindre et lui faire nos beaux et longs reproches.

Jean-Luc Lagarce, *J'étais dans ma maison et j'attendais que la pluie vienne*,
© Les Solitaires intempestifs, 1994, p. 12-13.

Questions

1. Pourquoi, malgré les reproches contenus dans cette réplique, cette tirade peut-elle faire sourire ou rire le lecteur-spectateur ?

2. De quoi le sommeil peut-il être la métaphore ?

3. Comparez le conflit latent dans ce passage avec celui de *Juste la fin du monde*, en particulier avec la scène 3 de la deuxième partie, à partir de « Tu es là, devant moi » (l. 185, p. 123).

Lagarce, *Le Pays lointain* (1995)

Le Pays lointain repose sur la même intrigue que *Juste la fin du monde* : le fils aîné retourne dans sa famille pour annoncer sa mort prochaine, une annonce qui n'aura jamais lieu. Une différence de taille, cependant : de nouveaux personnages apparaissent et interviennent dans la pièce, comme le Père ou encore quelques membres de la « famille choisie », amis ou anciens amants qui l'accompagnent sur le chemin du retour. Longue Date en fait partie, il est présenté comme « son meilleur ami, l'ami de longue date [1] ».

LONGUE DATE. – Tu devras participer, tu n'aimes pas ça,
mais tu sais qu'on n'y échappe pas.
Revenir après tant d'années, revenir sur ses propres traces et avoir commis quelques crimes,
et pourquoi non ?
Crimes d'une certaine manière, et crimes véritables, dans le sens exact du terme, crimes, oui,
est-ce que je sais ?

Je t'imagine assez, criminel, oui, je le dis, ça ne m'étonnerait pas, tu as bien dû commettre [2] quelques crimes, qui n'a pas ça derrière lui ?

---

1. *Le Pays lointain*, Les Solitaires intempestifs, 1995, p. 18 et 26.
2. ***Commettre*** : voir note 2, p. 51.

Crimes ou abandons,
et ce n'est pas loin d'être la même chose, je le dis,
crimes *et* abandons
abandons sans adresse et sans rien, tu as bien dû faire ça, te rendre responsable, non ?
Et l'autre, celui-là, homme ou femme, celui-là,
l'Abandonné
– nous en croiserons des multitudes, tu dois t'y attendre,
tu t'y attends, en croiserons des multitudes le long de ce voyage,
les pages qui suivent, en croiseront des multitudes,
Le Chœur des Abandonnés,
et certains féroces [1], tu sais cela – tu peux craindre pour toi – et certains féroces, et violents, et prêts à en découdre, tu vas les entendre !
Certains féroces, oui,
et d'autres, plus grave encore, et d'autres dans leur souffrance toujours, ne s'en remettant pas,
gardant cela,
leur abandon, criminel, gardant leur abandon, te reprochant toujours de les avoir abandonnés, comme une douleur au cœur –
celui-là, homme ou femme, celui-là,
l'Abandonné,
est-ce qu'il ne meurt pas, après avoir été laissé, est-ce qu'il ne meurt pas, se jette dans la rivière, s'éteint de chagrin, se tue, non ?
Jamais demandé ça ? Tu ne t'es jamais demandé ça ? Est-ce que tu ne t'es jamais demandé ça ?
Et crime, là, non ? Crime par abandon, on peut y réfléchir, je le dis, qui n'a pas ça derrière lui ? et ne veut pas savoir ?
qui ?
Crimes et abandons,
là que j'en suis de mon énumération, crimes, abandons, et douleurs marquées dans le cœur des autres et douleurs toujours vives

1. ***Féroces*** : voir note 1, p. 91.

à l'heure d'aujourd'hui, tu as dû commettre cela aussi, t'en rendre responsable.

Revenir après tant d'années, retrouver ceux-là qui firent ta vie, qui furent ta vie et espérer reprendre la conversation là où tu l'avais abandonnée
– *où est-ce que nous en étions déjà ?* –
ce ne sera guère possible.
Tu le sais.
Tu ne peux l'ignorer.
Tu pourras jeter ta future mort dans la bataille, je te connais, tu marqueras le point, tu feras cela, tu jetteras ta mort dans la bataille, l'arme absolue pour qu'on te pardonne,
il faudra tout de même donner quelques gages, il te faudra tout de même donner quelques gages.
Payer de ta personne. [...]

Jean-Luc Lagarce, *Le Pays lointain*,
© Les Solitaires intempestifs, 2005, p. 31-32.

Questions

1. Contre quoi Longue Date met-il en garde le personnage principal ? Pourquoi peut-on dire que *Juste la fin du monde* en est la preuve ?

2. Quels personnages de *Juste la fin du monde* pourraient correspondre à la description de « *l'Abandonné* » ? Justifiez votre réponse en citant des passages de l'œuvre.

3. « [I]l y a trop de temps passé (toute l'histoire vient de là) » (l. 118, p. 85) : en quoi ce constat fait par la Mère dans *Juste la fin du monde* peut-il s'appliquer aux extraits ci-dessus ? Vous développerez votre réponse en vous appuyant sur des éléments précis des différents textes.

Lagarce, *Du luxe et de l'impuissance* (1995)

Du luxe et de l'impuissance est un recueil d'articles commandés à Jean-Luc Lagarce par des théâtres et des revues. Il y aborde des thèmes variés tels que sa pratique d'écriture et la place de la culture dans notre société. Dans l'extrait suivant, il s'interroge sur notre rapport personnel au passé.

Devrions-nous retourner sur nos pas, aller à nouveau vers nos sources, ce qui nous forma, nous construisit, nos anciennes et rassurantes écoles, aller revoir les lieux et les places, et marcher à nouveau le long de la rivière, que le risque sera immense de nous perdre et de nous être trompés, ne rien reconnaître, ne plus rien voir qui ne soit décevant.

Et de toujours fuir vers notre douce nostalgie, nos beaux regrets, l'amour et la tendresse que nous avons pour notre propre passé, celui-là que nous avons avec tant de patience arrangé et bâti, si parfait et si conforme à nos vœux, nous ne pouvons ignorer la force de nos mensonges, la complaisance[1] qui nous mène et nous rassure.

[...]

À ne pas admettre sa propre vie, ses propres lâchetés, son arrangement, toujours, avec la réalité, à ne pas vouloir s'interroger sur ses actes ou sur son immobilité, pleine toujours de la bonne conscience de la réflexion, à ne parler que des autres, si lointains dans la géographie ou l'histoire, et morts, ou exotiques, ou si incompréhensibles, [...]. Nous trichons.

Jean-Luc Lagarce, *Du luxe et de l'impuissance*,
© Les Solitaires intempestifs, 2008, p. 48-55.

1. ***Complaisance*** : voir note 3, p. 95. Ici, satisfaction que produit le passé « arrangé et bâti » par nous-mêmes.

DOSSIER

Questions

1. Relevez dans le premier paragraphe tous les termes qui appartiennent au champ lexical du retour. Proposez des hypothèses sur le but de ce retour, en les justifiant.

2. Définissez le terme « nostalgie ». Ce sentiment est-il présent dans *Juste la fin du monde* ? Quel personnage semble en faire l'expérience ?

3. « À ne parler que des autres » : à votre avis, qui sont ces « autres » auxquels Jean-Luc Lagarce fait allusion ici ?

4. Pourquoi la nostalgie peut-elle conduire aux « mensonges » selon Jean-Luc Lagarce ? Retrouve-t-on ce thème dans *Juste la fin du monde* ?

Vers l'écrit du bac : sujets d'entraînement

A. Commentaire

Vous ferez le commentaire de l'extrait tiré de *J'étais dans ma maison et j'attendais que la pluie vienne*, en vous aidant si nécessaire des axes de lecture suivants. Vous compléterez chaque partie en proposant trois sous-parties que vous illustrerez à l'aide d'exemples et de citations tirés de l'extrait étudié.

I. Des retrouvailles en suspens
II. Un joyeux règlement de comptes
III. La recherche du temps perdu

B. Dissertation

« [D]ire,/ seulement dire », affirme Louis dans le prologue de *Juste la fin du monde*. En quoi la parole, et l'usage que l'on fait du langage – aveu, explications, reformulations, confrontations verbales, etc. –, sont-ils un puissant ressort dramatique dans les pièces de théâtre qui ont pour thème la famille ?

Pour répondre à cette question, vous vous appuierez sur votre étude de l'œuvre de Jean-Luc Lagarce, sur la lecture de ce corpus de textes (vous pouvez aussi vous aider des groupements de textes n° 2 et 3) ainsi que sur vos connaissances personnelles.

Le mythe des frères ennemis dans la Bible et en peinture

(histoire des arts)

 Abel et Caïn

À l'origine du mythe des frères ennemis, les personnages bibliques Abel et Caïn ont inspiré de nombreux artistes. Voici l'extrait de la Bible qui rapporte leur histoire :

L'homme connut Ève, sa femme ; elle conçut et enfanta Caïn et elle dit : « J'ai acquis un homme de par Yahvé [1]. » Elle donna aussi le jour à Abel, frère de Caïn. Or Abel devint pasteur de petit bétail et Caïn cultivait le sol. Le temps passa et il advint que Caïn présenta des produits du sol en offrande à Yahvé, et qu'Abel, de son côté, offrit des premiers-nés de son troupeau, et même de leur graisse. Or Yahvé agréa [2] Abel et son offrande. Mais il n'agréa pas Caïn et son offrande, et Caïn en fut très irrité et eut le visage abattu. Yahvé dit à Caïn : « Pourquoi es-tu irrité et pourquoi ton visage est-il abattu ? Si tu es bien disposé, ne relèveras-tu pas la tête ? Mais si tu n'es pas bien disposé, le péché n'est-il pas à la porte, une bête tapie qui te

---

1. *Yahvé* : Dieu.
2. *Agréa* : accueillit favorablement.

convoite ? Pourras-tu la dominer ? » Cependant Caïn dit à son frère Abel : « Allons dehors », et comme ils étaient en pleine campagne, Caïn se jeta sur son frère Abel et le tua. Yahvé dit à Caïn : « Où est ton frère Abel ? » Il répondit : « Je ne sais pas. Suis-je le gardien de mon frère ? » Yahvé reprit : « Qu'as-tu fait ! Écoute le sang de ton frère crier vers moi du sol ! Maintenant sois maudit et chassé du sol fertile qui a ouvert la bouche pour recevoir de ta main le sang de ton frère. Si tu cultives le sol, il ne te donnera plus son produit : tu seras un errant parcourant la terre. »

Bible de Jérusalem, Genèse, 4, 1-12.

Questions

1. Lequel des deux frères est-il l'aîné ? et dans la pièce de Lagarce ?

2. Quel est le motif de la jalousie de Caïn ? Pouvez-vous identifier un sentiment comparable dans *Juste la fin du monde* ?

3. Décrivez le tableau du Tintoret, reproduit p. I du Cahier photos.

4. Quels éléments mettent l'accent sur la violence de la scène ? Cette violence entre les deux frères se manifeste-t-elle dans la pièce ? Justifiez votre réponse en vous appuyant sur des éléments précis du texte de *Juste la fin du monde*.

Le fils prodigue

Un autre mythe biblique trouve aussi un écho dans la pièce de Jean-Luc Lagarce, c'est celui du retour du fils prodigue. Il s'agit d'une parabole, c'est-à-dire d'une histoire dont on doit tirer un enseignement. Un fils cadet, parti à la découverte du monde, revient des années plus tard auprès de son père, après une vie de débauche qui l'a mené à la ruine. Mais le frère aîné ne l'entend pas de cette oreille...

Il [Jésus] dit encore : Un homme avait deux fils. Le plus jeune dit à son père : « Mon père, donne-moi la part de bien qui doit me revenir. » Et le père leur partagea son bien. Peu de jours après, le plus jeune fils, ayant tout ramassé, partit pour un pays éloigné, où il dissipa son bien en vivant dans la débauche. Lorsqu'il eut tout dépensé, une grande famine survint dans ce pays, et il commença à se trouver dans le besoin. Il alla se mettre au service d'un des habitants du pays, qui l'envoya dans ses champs garder les pourceaux [1]. Il aurait bien voulu se rassasier des caroubes [2] que mangeaient les pourceaux, mais personne ne lui en donnait. Étant rentré en lui-même, il se dit : « Combien de mercenaires [3] chez mon père ont du pain en abondance, et moi, ici, je meurs de faim ! Je me lèverai, j'irai vers mon père, et je lui dirai : "Mon père, j'ai péché contre le Ciel et contre toi, je ne suis plus digne d'être appelé ton fils ; traite-moi comme l'un de tes mercenaires". » Et il se leva, et alla vers son père. Comme il était encore loin, son père le vit et fut ému de compassion, il courut se jeter à son cou et le baisa. Le fils lui dit : « Mon père, j'ai péché contre le Ciel et contre toi, je ne suis plus digne d'être appelé ton fils. » Mais le père dit à ses serviteurs : « Apportez vite la plus belle robe, et l'en revêtez ; mettez-lui un anneau au doigt, et des souliers aux pieds. Amenez le veau gras, et tuez-le. Mangeons et réjouissons-nous ; car mon fils que voici était mort, et il est revenu à la vie ; il était perdu, et il est retrouvé. » Et ils commencèrent à se réjouir. Or, le fils aîné était dans les champs. Lorsqu'il revint et approcha de la maison, il entendit la musique et les danses. Il appela un des serviteurs, et lui demanda ce que c'était. Ce serviteur lui dit : « Ton frère est de retour, et, parce qu'il l'a retrouvé en bonne santé, ton père a tué le veau gras. » Il se mit en colère, et ne voulut pas entrer. Son père sortit, et le pria d'entrer. Mais il répondit à son père : « Voici, il y a tant d'années que je te sers, sans avoir jamais

1. ***Pourceaux*** : porcs.
2. ***Caroubes*** : fruits en forme de gousses.
3. ***Mercenaires*** : ici, employés.

transgressé tes ordres, et jamais tu ne m'as donné un chevreau pour que je me réjouisse avec mes amis. Et quand ton fils est arrivé, celui qui a mangé ton bien avec des prostituées, c'est pour lui que tu as tué le veau gras ! » « Mon enfant, lui dit le père, tu es toujours avec moi, et tout ce que j'ai est à toi ; mais il fallait bien s'égayer et se réjouir, parce que ton frère que voici était mort et qu'il est revenu à la vie, parce qu'il était perdu et qu'il est retrouvé. »

Bible, trad. Louis Segond, Évangile selon saint Luc, 15.

Questions

1. Comment les retrouvailles familiales se passent-elles dans cette parabole ? Décrivez les réactions des différents personnages. Y a-t-il des similitudes avec le retour de Louis dans *Juste la fin du monde* ?

2. De quoi le frère est-il jaloux ici ? Quels parallèles pouvez-vous effectuer avec la pièce de Jean-Luc Lagarce ?

3. Quelle est la leçon du père ?

4. Identifiez les personnages principaux du tableau : le fils prodigue, le père et le frère ; puis, commentez la position de chacun. Qu'exprime-t-elle ?

■ Mise en scène de Michel Raskine à la Comédie-Française, 2008, avec (de gauche à droite) Pierre Louis-Calixte (Louis), Laurent Stocker (Antoine), Catherine Ferran (la Mère), Julie Sicard (Suzanne).
L'importance du personnage d'Antoine, au centre, entre son frère et sa sœur, se révèle progressivement au cours de la pièce.

ANNEXE

Extraits du *Journal* de Lagarce

L'œuvre de Jean-Luc Lagarce tisse des réseaux d'intertextualité, c'est-à-dire qu'on peut remarquer des thèmes et des personnages qui reviennent d'un texte à l'autre, voire des phrases entièrement reprises, parfois avec d'infimes [1] variations (voir groupement de textes n° 3, p. 199-206). Voici quelques extraits issus du *Journal* qu'il a tenu entre 1977 et 1995 et qui résonnent particulièrement avec *Juste la fin du monde*.

DIMANCHE 22 DÉCEMBRE 1991 [2]
Paris. Chez moi. 19 h 30.

[…] [3] Me suis remis au travail. Retoucher *Juste la fin du monde* et mettre diverses choses au propre (scénario, textes…).

(…)

Mes parents ont failli me faire hurler des horreurs définitives l'autre soir. Il a fallu que j'aille me mettre au lit à 8 heures du soir pour éviter l'irréparable.

On m'aura abîmé, mine de rien.

1. ***Infimes*** : voir note 1, p. 74.
2. Jean-Luc Lagarce, *Journal. 1990-1995* (t. II), *op. cit.*, p. 103.
3. Les points de suspension entre crochets ont été ajoutés pour indiquer les passages coupés, les points de suspension entre parenthèses sont de l'auteur.

VENDREDI 12 JUIN 1992[1]
Paris. Hôpital. 9 h 30.

[...]

Une idée idiote mais comme elle revient tout le temps, qu'elle réapparaît à chaque détour et qu'elle passe parfois dans les rêves, admettons.

L'idée toute simple – mais très très apaisante, très joyeuse, c'est ça que je veux dire, très joyeuse, oui – l'idée que je reviendrai, que j'aurai une autre vie après celle-là où je serai le même, où j'aurai plus de charme, où je marcherai dans les rues la nuit avec plus d'assurance encore que par le passé, où je serai un homme très libre et très heureux. L'idée souvent, machinale : « Je ferai ça quand je reviendrai… »

C'est bête. Bien peu philosophique. Très joyeux, très apaisant – mais je ne suis pas agité – et c'est parfaitement ancré dans mon esprit.

La seule crainte :

Me réveiller – comme on se réveille du mal de dents – et avoir peur de la Mort et crier comme un enfant, terrorisé.

Espérons que je n'aie jamais plus peur qu'aujourd'hui. Restons désinvolte[2] !

---

1. Jean-Luc Lagarce, *Journal. 1990-1995* (t. II), *op. cit.*, p. 139-140.
2. ***Désinvolte*** : voir note 2, p. 93.

JEUDI 28 AVRIL 1994 [1]
Paris. Chez moi. 9 h 10.

Le printemps semble essayer de se décider. C'est long.

Les parents, donc.

Comme il était « à craindre et à prévoir », ils devaient venir cette semaine à Paris une demi-journée pendant leur séjour de deux semaines près de Rouen chez mon frère.

Ne voyant pas de message arriver lorsque j'étais à Lyon – mais sachant parfaitement ce qui allait se passer – je les appelle lundi matin pour leur demander ce qu'ils décident. Évidemment ma mère m'explique un peu ennuyée et passablement geignarde, que mon père s'est emporté et ne veut pas entendre parler d'entrer en voiture dans Paris : « Il a peur des embouteillages », « il est trop âgé » (il a 64 ans !), etc. Il traverse sans lâcher le volant, de la Suisse à la Normandie, la France quatre fois par an.

Alors que je m'étais promis de ne pas réagir, de traiter cela par le plus grand mépris, mais il est vrai très agacé par l'épisode Py [2] à Lyon, par la fièvre, j'explose littéralement dans l'appareil, une colère d'une violence comme il est probable qu'ils n'en imaginèrent jamais.

Ma mère tente son grand air habituel – le grand air de la Mère – selon lequel elle « prend », qu'elle est au milieu de tout ça, mais même ça fut balayé, car pour une fois c'est de moi qu'il est question.

Mon père, mon frère rôdaient derrière, pas très loin de l'orage mais je refusai de leur parler.

Allusions (directes, précises) à la maladie, au fait que mes parents peuvent peut-être se poser quelques questions…

Ma mère : « Oh, je sais, je suis la seule à savoir… »

---

1. Jean-Luc Lagarce, *Journal. 1990-1995* (t. II), *op. cit.*, p. 347-348.
2. Lagarce fait référence à des désaccords avec le metteur en scène Olivier Py à propos de *Nous, les héros.*

Moi : « Rien du tout, si vous savez, vous ne faites rien… »

Bref. Ce fut saignant. C'est sans intérêt. On a beau tenter en braillant de reprocher trente-sept ans de négligence, on braille, on n'obtient plus jamais rien.

Leur ai gâché la soupe, rien de plus.

Comme j'étais étrangement calme, pour ne pas garder ça dans ma tête tout l'après-midi, à 14 heures – ils sont en pleine vaisselle collective –, les ai rappelés, pour dire que je n'étais pas fâché, « et que tout cela n'a aucune importance ».

Mon père dans le lointain : « Tu as bien fait de rappeler… » et (tremblotant) : « Tu vas bien ?… »

Absous, donc, de mes crimes.

Laissons cela. Irai les voir à Pâques ou à la Trinité [1]. Apprendront un matin par Christine qu'ils doivent courir au quatrième étage de Cochin [2].

C'est peut-être fini – bizarrement. Je marchais très calmement cet après-midi-là, presque paisible et les cauchemars redoutés ne sont toujours pas venus.

[…]

JEUDI 12 MAI 1994 [3]
Paris. Chez moi. L'Ascension. Midi.

[…]

Les parents l'autre jour (dimanche soir). C'est moi qui appelle. Tout va bien. « Le temps qu'il fait. » Ce sera désormais sans heurt, vous verrez, jusqu'au jour de mon enterrement. […]

---

1. ***À Pâques ou à la Trinité*** : expression qui signifie « un jour peut-être, ou jamais ».
2. ***Cochin*** : nom d'un hôpital à Paris.
3. Jean-Luc Lagarce, *Journal. 1990-1995* (t. II), *op. cit.*, p. 361.

SAMEDI 11 JUIN 1994 [1]
Paris. Chez moi. 9 h 30.

[...]

Dire encore, car on ne voudrait pas que vous en soyez surpris lundi, mon frère, Marie et leur fils débarquent chez moi demain, dès midi et ceci pourrait provoquer encore quelques inquiétudes et agacements et montées de température. Non ?

Mon frère un matin vers 8 heures m'appelle pour m'en informer. Ils visitent le musée de la Marine pour le gamin et déjeuner avec moi s'impose. Je réponds immédiatement que je ne suis pas là, dommage, mon frère rétorque que voilà qui était prévisible. Mais je me ravise aussitôt, calcul minable, et j'affirme « avancer mon train » (mensonge car je devais revenir de toute façon ce matin de Rennes si j'y étais allé !) car n'y a-t-il pas là, murmure le stratège machiavélique [2] à l'homme fatigué, le moyen de montrer la bête endimanchée propre sur elle, gentille avec les enfants, déjeunant à Montparnasse [3], avec les *autres* familles, ayant avec soin (ne pas oublier !) éliminé toutes traces hospitalières de la cuisine – là, la cuisine ! –, et laisser ainsi l'information se répandre.

« Maman, je t'appelle, on l'a vu dimanche, il était très en forme, le même mauvais caractère, très en forme... »

Le stratège organise ça. L'homme fatigué se lève avec désarroi [4] et supplie encore, il comprend l'enjeu pourtant.

« Pourquoi toujours tricher, ne pas se coucher au sol, fermer ses volets, écouter la douce musique et ne plus répondre à rien ?... »

---

1. Jean-Luc Lagarce, *Journal. 1990-1995* (t. II), *op. cit.*, p. 382-383.
2. ***Stratège machiavélique*** : personne qui conçoit des stratégies dignes de Nicolas Machiavel, penseur de la Renaissance connu pour ses théories qui s'affranchissent de la moralité et de l'intégrité.
3. ***Montparnasse*** : quartier chic de Paris.
4. ***Désarroi*** : voir note 3, p. 90.

Et le stratège, enfilant déjà son beau costume Olivier Strelli, sur lequel il investit l'an dernier – aller au balcon bisontin [1], peu de temps après la mort de Jean-Pierre [2], s'asseoir dans un fauteuil et faire le bel esprit – , le stratège dit que ce ne sera qu'un déjeuner et que ce déjeuner avec un si bel enfant, car l'enfant du frère est beau, oui, et c'est sur lui, ses mots, ses histoires qu'on peut compter demain pour ne « jamais, jamais » se fâcher et c'est à lui de toutes les manières et autre petite fille devenue vieille, vous devriez suivre, qu'on s'adresse, qu'on le veuille ou non,

ce ne sera qu'un déjeuner (mettez l'ordre, pitié, dans les digressions, je n'en ai plus la force, fermez les portes). Ce ne sera qu'un déjeuner n'en finit pas de répéter le stratège qui passa déjà hier chez le coiffeur et se rasa de près,

et ce déjeuner emportera tout l'été et réglera bien des débuts de conversations téléphoniques : « J'ai eu ton frère et ils étaient ravis de te voir et le gamin ne parle plus que de toi... »

(Car il s'agissait encore que cet enfant si sage – car outre sa joliesse, il est sage comme je le fus et moi, je n'étais pas joli, j'avais de bonnes raisons de fait d'être sage – car il s'agissait encore que cet enfant-là, héritant de mes Pléiade [3] ne garde pas de moi un souvenir admiratif. Un dîner, il était enfant où ses parents l'emmenèrent chez son oncle (!) avant le musée de la Marine.)

Le stratège est un beau cynique, mais le stratège fait tout cela pour la douleur de l'homme fatigué. Si celui-là est sage et raisonnable, promis, il l'emmènera boire une bière au Bar lorsque la lune sera venue.

[...]

---

1. ***Bisontin*** : de Besançon.

2. ***Jean-Pierre*** : dentiste de Lagarce à Paris, originaire de Besançon, qui est décédé du Sida en 1993.

3. ***Mes Pléiade*** : mes livres de la collection « Pléiade » (chez Gallimard).

DIMANCHE 26 JUIN 1994 [1]
Paris. Chez moi. 10 h 15.

[…]

Ce fut une représentation magnifique [2], terrible, un moment de théâtre, d'engagement des gens, des acteurs d'une force, d'une certaine violence aussi, et d'une grande beauté. Il y avait là au milieu d'une grande salle – c'est une prison du XIXe siècle tout en brique rouge, en barreaux… – un petit lit en fer de prisonnier pour Argan et des acteurs en costume de ville, gens d'aujourd'hui, disant un texte, une langue, une poésie superbes !

Et en face, il y avait cinquante hommes, des voleurs, des criminels – un gamin de 16 ans dont me parla Du Chaxel [3] qui le connaît et qui est condamné pour douze ans pour le meurtre d'un homme et qui regardait cela penché en avant et deux hommes encore qui vinrent me parler ensuite et me dirent qu'ils allaient écrire à leurs enfants pour leur raconter cet après-midi-là.

C'était grave. On riait peu (même si Mireille, la plus terrorisée de la troupe, et Achard faisaient beaucoup rire comme à leur habitude) et c'était une belle et grande chose.

Au milieu de la scène entre les deux frères, Béralde et Argan, qui est, je le dis toujours, « la scène qui me fit monter la pièce » et qui nous inquiétait le plus par sa durée, sa difficulté, l'attention était telle qu'à l'instant essentiel :

« Que faire quand on est malade… ?

– Rien, mon frère.

– Rien ?

– Rien. »

---

1. Jean-Luc Lagarce, *Journal. 1990-1995* (t. II), *op. cit.*, p. 401-402.

2. *Le Malade imaginaire* mis en scène par Lagarce est présenté un mois au Théâtre national de Bretagne à Rennes. Un après-midi, une représentation est donnée au sein de la prison.

3. Françoise ***Du Chaxel*** : autrice et directrice adjointe du Théâtre national de Bretagne.

Les larmes me vinrent aux yeux.

Les acteurs sont effrayants d'égoïsme, de satisfaction et souvent je les déteste dans leurs petites médiocrités et leur oubli de l'Art, mais là ils étaient beaux, nobles et de magnifiques guerriers.

Du Chaxel et Catherine Dan [1] et moi bouleversés, avions du mal à leur dire, mais ce combat-là, ce n'était pas rien.

Et le soir, jouant une seconde fois, épuisés dans leurs beaux costumes d'apparat, ils se croisaient en coulisse dans un rituel étrange, drôle et plein de respect.

Et pour la dernière, ils « jetèrent » tout dans la bataille, faisant hurler de rire la salle ou la tenant dans le silence et l'émotion et firent un beau triomphe.

Ils sont pénibles mais ils sont de belles personnes. Ne pas oublier ça.

[...]

---

1. Catherine ***Dan*** : secrétaire générale du Théâtre national de Bretagne.

Cet ouvrage a été mis en pages par

Imprimé à Barcelone par:
CPI Black Print